新プロジェクトX 挑戦者たち 1

東京スカイツリー
カメラ付き携帯
三陸鉄道復旧
明石海峡大橋

NHK「新プロジェクトX」制作班

はじめに

「プロジェクトX 挑戦者たち」の新シリーズが始まりました。

旧シリーズの放送が2000〜2005年ですから、およそ20年ぶりの復活です。おかげさまで多くの反響を頂き、その声を励みに、取材や撮影に走り回っています。「昔、学校の授業で見た」「子どもの頃に親と一緒に見た」という方から、「大人になって、いざ働く立場で見たら沁(し)みました」等の感想を頂くと、こちらも思わず気持ちが熱くなります。

プロジェクトXは、無名の方々が主人公という、珍しいテレビ番組です。有名人もタレントさんも出てきません。画期的な製品開発や災害復旧、医療現場、建設工事、スポーツ。よく知られた出来事を縁(えん)の下で支えた、知られざる人々の姿を描きたい、そんなコンセプトの番組です。誰にも知られずに崇高(すうこう)な志を立てたリーダー。個人の力では越えられないハードルを、チーム力で突破していった方々。そして人が人を支える貴(とうと)さ。埋もれた資料や貴重な写真を関係者の方と一緒に探し、ときにはドラマのようなエピソードに目頭(めがしら)を熱くしたりしながら、制作に当たっています。

さて、旧シリーズが主に取り上げたのは、昭和のプロジェクトでした。黒四(くろよん)ダムの建設工事やトランジスタラジオの海外営業、国産乗用車の開発など、戦後の日本が技術立国として成長していく時代には、過酷な戦争体験や戦後のどん底の貧しさを、復興への志に変えた人々が数多くいました。

それから18年が経過して始まる新シリーズは、大きく時代を下り、平成・令和のプロジェクトが中心となります。日本にとって、いわゆる「失われた30年」と呼ばれる時代です。今回、新プロジェクトXを立ち上げたいと思った大きな理由の一つが、このワードへの疑問でした。何も生まれなかった時代と一口にくくられる悔しさを、同時代を生きる一人として感じてきたからです。

改めて振り返れば、バブル崩壊に始まるこの30年は、ＩＴ革命で技術の趨勢(すうせい)が変わり、グローバル化により海外の動向が国内に影響を及ぼすようになり、東日本大震災などの災害の発生といった、想定外の事態がこれでもかと押し寄せた時代でした。その中でも、逆風に負けず、不可能と思われる難題に立ち向かい、ブレークスルーをなし遂げた、気高い挑戦者がいたはずではないか？ そんな方々を探してみたいと考えたのが、新シリーズの出発点です。

昨年秋、若手のディレクターを中心に制作班を立ち上げ、リサーチを開始してすぐに、無数の偉業があることに気づきました。その一つ一つを丁寧に紐解くと、困難な時代を、力強くも柔軟に乗り越えてきた日本の30年の素顔が浮かび上がります。「やらねばならなかった」のが昭和のプロジェクトの特徴であるならば、「やりたい」「面白い」を原動力に多様な個の力を結集するのが平成・令和のプロジェクトの特徴かも知れません。その一方で、人と人が力を合わせるきっかけや、困難を励ます言葉には、時代を超えた普遍的な力を見出すことが出来ます。

この本に収載したのは、新シリーズの最初を飾った4つのプロジェクトです。

第1回は東京スカイツリーの建設。私自身、最新のテクノロジーを使えば高層建築も簡単に建てられるのではなどと思い込んでいたことを恥じることになりました。想像を絶する難工事を担当した技術者たちの覚悟には、背筋を正される迫力を感じます。

第2回はカメラ付き携帯電話の開発。今や世界標準とも言うべき仕様を世に送り出したのは、後発キャリアと後発メーカーの弱小タッグ。逆境にあってこそ志が生まれることを、鮮やかに教えてくれます。

第3回は、岩手・三陸鉄道の復旧。東日本大震災の後、6年はかかると言われた復旧工事を、子どもたちの入学式に間に合わせようとわずか3年で成し遂げたプロジェクト。鉄道会社や建設会社の方々はもちろん、沿線住民の方々の真摯な姿に多くの反響を頂きました。

そして第4回は、明石海峡大橋の建設。「白昼夢」「夢の架け橋」と揶揄されながら、構想をあきらめなかった元土木技術者の力強い言葉に触れて頂ければと思います。

時代は変わっても、どんな困難のときにも、「地上の星」は必ずいると信じて、番組を制作していきたいと思っています。ここに登場するのは、ひょっとすると通勤電車であなたの隣に座っているかもしれない、無名のヒーロー&ヒロインたちの物語です。

NHK「新プロジェクトX」チーフ・プロデューサー　久保健一

新プロジェクトX 挑戦者たち 1　目次

I　東京スカイツリー　天空の大工事

――世界一の電波塔に挑む

東京都墨田区に建設された、高さ634メートルの東京スカイツリー（写真：共同通信社）

1　世紀の難工事

延べ58万人の熱き思い

２０１２（平成24）年、東京のど真ん中に天を衝くタワーが出現した。世界一の高さを誇る自立式電波塔、東京スカイツリーである。

高度成長の象徴として１９５８（昭和33）年に完成した東京タワー（日本電波塔）の一大プロジェクトから半世紀、日本の建設業界が叡智を結集して臨んだ東京スカイツリーの建設は、高層建築の記録を飛躍的に更新した。その裏には、誰にも語られていないドラマがある。

天空の大工事である。６３４メートルのタワーを築く前人未踏の現場には、たたき上げの鳶職人ですら尻込みをした。最大風速は台風並みの30メートル超。荒天になれば、雷鳴や吹雪が足下から襲ってきた。

現場は予期せぬ出来事の連続だった。2011（平成23）年3月11日、午後2時46分、完成目前のタワーが大きく揺らいだ。マグニチュード9・0の巨大地震。東日本大震災は、難工事の〝弱点〟を突いた。高所で作業していた職人たちは、立っていられない恐怖に〝死〟を覚悟した。

スカイツリーの建設は、そもそも工法自体が超難題だった。3万7000ピースもの鉄骨を立体パズルのように精密に組み上げなければならない。一つのミスが命取りになる。最新の技術を駆使してもなお、頼りになるのは人の力だった。

施工の責任を背負った技術者には、上司への誓いがあった。

最強の鉄板と格闘したプレス職人には、妻との約束があった。

鳶たちを率いたリーダーは、震災の危機の中で重い決断を下した。

設計会社、ゼネコン、鉄鋼メーカー、鋼材加工工場、熟練の鳶集団、選りすぐりの溶接工や塗装工たち……。延べ58万人が、それぞれの思いを胸に秘め、未知の領域に挑んだ。これは、世界一の電波塔建設に誇りをかけた者たちの熱き物語である。

東京タワーに代わる電波塔を

2003（平成15）年、バブル崩壊から10年が経った東京の都心。200メートル級の高層ビルが次々に建設される中で、見過ごすことのできない問題が持ち上がっていた。関東一円の情報網を支える電波塔の役割を担ってきた東京タワーの周辺を高層ビル群が取り囲み、電波が遮（さえぎ）られる障害が多発していたのである。

同年12月、関東・近畿・中京地区を皮切りに地上デジタル放送がスタートした。電波を安定して送信するためには、新たな電波塔の建設が急務だった。必要とされる高さは東京タワー（333メートル）の約2倍。実に、600メートル級の建造物を首都圏に構築しなければならない。放送事業者6社は「在京6社新タワー推進プロジェクト」を発足させ、空前の計画が動き出した。

新しい電波塔をどこに建てるか？　日本一高い建物が完成すれば、間違いなく関東屈指の観光名所になる。10を超える地域が誘致に名乗りを挙げた。2006（平成18）年3月、建設地に決まったのは、近くを隅田川が流れる墨田区押上（おしあげ）の一角。東武鉄道の貨物ヤード跡地だった。

土地を所有する東武鉄道は、新タワー誘致に際して、設計を業界最大手の日建設計に依頼していた。日建設計は東京タワーの設計企業であり、名古屋テレビ塔（180メートル）、福岡タワー（234メートル）、瀬戸デジタルテレビ放送所電波塔（245メートル）など、数々のタワー設計を手掛けてきた。海外でも、中国の大連タワー（190・5メートル）などを設計した実績がある。

敷地は東京タワーの4分の1

新タワーのデザインは、同社の意匠設計者、吉野繁が任された。が、初回の打ち合わせから面食らった。

「半信半疑でしたね。東武鉄道さんから『時空を超えたランドスケープをつくってください』と言われたんですが、『こんな場所に、600メートルを超えるタワーが本当に建つのか？』というのが最初の印象でした」

その敷地には、致命的な難点があった。狭さである。350メートル×100メートル程度と、四方の長さが均等ではなく、地下鉄が敷地内を横断しているため、そこに新タワーを建てるとなれば、足元の面積は東京タワーの4分の1という狭さとなる。

「エッフェル塔や東京タワーのプロポーションは、およそ3対1。高さ300メートルに対して、足元は１００メートルくらいが構造として合理的なんです。６００メートルを超える建物であれば、敷地の一辺は２００メートルは欲しかった」

入社以来、才能を見込まれた吉野は、いくつもの困難な案件を任されてきた。しかし、実現に至らないケースも多々あった。10件やって、実際に建つのは１つ。新タワーの直前に携わった案件でも、大きな模型をつくってプレゼンを始めた途端、「それ、気に入らないから」という建築主の一言で不採用になっていた。

そんな悔しさを、吉野はバネに変え、地図上に何度も線を描いた。敷地の制約で、東京タワーのような正四角形の足元ではなく、一辺をもっとも長く取れる正三角形にしても、68メートルが最大値。だが、３本脚ならどんな地形の上にも置けることは、古代の土器が示していた。

一方で、譲れないこだわりがあった。日本一の高さを誇るタワーに展望台は欠かせない。吉野は、これまで世界各地のタワーを視察した結論として、訪れた人は必ず自分の国や家の方向を見ることから、展望台はぐるりと一周できる円形であるべきだと考えていた。

「設計段階で形を求めるための模型は無数につくりました」（吉野）

たどり着いたのは、３本の脚で立ち、上に伸びると円形に変わる独創的なデザイン。地上350メートルと450メートルの高さに一円を見渡せる展望台を設置し、最上部にデジタル放送用アンテナを搭載したゲイン塔を取り付ける。

縦横比9対1のプロポーションは、東京タワーのようなどっしりとした印象には乏しかった。だが、有識者も参加したデザインを検討する会議では、吉野の新タワーのデザインにある〝そり〟と〝むくり〟に注目が集まった。断面を正三角形から円に移行しつつ、上空に向かってなだらかに細身になる外観には、日本刀のような曲線（そり）と、寺院建築の柱のようなふくらみ（むくり）という2つの特徴が表れる。そのデザインは、有識者たちからこう評価された。

「細長い建造物には日本の雅(みやび)的な美しさがある」

日建設計で吉野とともに新タワーの設計に携わったのは、構造設計者、小西厚夫(こにしあつお)。

「600メートルを超えるタワー建設は、誰も手掛けたことがない。教科書も指針もない。会社で『やってみないか』と言われたときは、想像を超えていたという意味で現実味がなかったんですが、やり始めるとどんどん坂が急になっていく思いがしました」

小西に課せられたのは「このノッポなタワーをあらゆる地震に耐えられるものにせよ」という構造上の難題だった。必要なのは、建設場所で想定しうる最大規模の揺れへの対策。タワーの揺れが一定以上に大きくなり放送設備に被害が及ぶと放送が途絶し、地震直後の被災地にとって命綱である情報発信がとだえてしまう。

頭の中には入社6年目に遭遇した、あの惨状が焼き付いていた。

地震直後でも放送が継続できる制振機構の開発

1995（平成7）年1月17日、神戸市灘区に住んでいた小西は、阪神・淡路大震災を経験した。小西が愛する建築物が、一瞬で人の命を奪った。3年間、被災した建物を復旧する仕事に携わりながら、小西は唇を嚙みしめた。

「とにかく悔しかったですね。私も神戸の町が好きで住んでいたんですけれども、それが惨憺たる姿になったというのは、とても受け入れられない感じだった」

以来、小西は構造設計のエンジニアとして地震対策に執念を燃やしてきた。人知を尽くす——小西が一番大事にしている言葉である。ただし、地震は自然災害でありその全てを人が制することはできないことを謙虚に受け止めつつも、人としてやれることをやりきるというこの言葉は印象以上に厳しい信念であり、やれることを最後までやりきらない自分が許せない。頑固一徹ぶりは社内にも知れ渡っていた。意匠設計の吉野は言う。

「議論していると、〝そんなのはできないよ〟と言下に否定されることもあって、小西とはしょっちゅう喧嘩（けんか）していました。腹立たしかったですよ。けれども、突き詰めていくと、小西は正しいことを言っているんですよね」

ダメなものはダメ。どれだけ急（せ）かされても、「まだわからん」と突っぱね、小西は電卓を叩いてひたすら計算に明け暮れた。大きな地震が高い確率で発生し、毎年大きな台風が襲来する日本は、高層の構造物の設計にとって世界でもっとも厳しい地域の一つである。そこに初めて計画する６００メートル級構造物が抱える未知のテーマは多岐にわたり、かついずれも難題であった。小西は、これまで培（つちか）われた日本国内の研究論文に埋まりながら、耐震・耐風をはじめとする建築工学の学識経験者とともにこの難題を解いていた。日本には、厳しい自然環境の中でも信頼できる６００メートル級構造物を実現するための研究と技術の蓄積がすでに備わっていた。小西はそれを、粛々と設計に落とし込みまとめていたのだ。

「結局、ずっと考えているんですね。そうしないと解けないというか、解いても、もっといい案があるんじゃないかとか。自宅に戻っても、気がついていないことがまだあるかもしれないと思って調べ始めたり。夜中に起きて、電卓を叩いて、数字をつくってみて、ようやく眠ることができた」

　そして小西はとんでもないものを持ち出した。〝心柱（しんばしら）〟である。

　塔体の内部に建設する構造体はシャフトと呼ばれる。高速エレベーターなどの設備が入るシャフトは円筒形で、その筒の中を心柱が貫く。心柱は、長さ375メートルに及ぶ鉄筋コンクリート製。地震の際、鉄でできた塔体よりコンクリート製の心柱のほうが少しゆっくり揺れるように設計されている。そうすることで、心柱は塔体につかず離れず、遅れて揺れるため互いの揺れを打ち消し合う効果を生む。

　果たして、そんな建造物が本当につくれるのか？　不安視する声も挙がった。が、小西に妥協はない。

　計算は徹底的にやり尽くしている。建設場所で想定されるあらゆる地震、たとえば東京でもっとも大きな揺れを起こすといわれる海溝型の長周期地震動や、未知の直下型地震の揺れなどまで想定したシミュレーションを徹底的に重ねた。たとえ大地震が敷地近くで起きても、タワーの揺れを効果的に抑えて設備を稼働させ続け、被災地の命綱である放送を地震直後も継続するためには、心柱制振機構が必要であるというのが小西の主張であり、阪神・淡路大震災の被災者としての思いでもあった。

２００６（平成18）年11月24日、新タワーのデザイン発表の日。意匠設計の吉野と構造設計の小西たちによる新タワーの姿は、建設業界を震撼させた。縦、横、斜めに無数の鉄骨が幾何学的に連なる塔体。その断面は、三角形から段階的に円形へと変化する。しかも中心には、重さ1万トンもの巨大な心柱。

見たこともない建造物。建設関係者は、みな頭を抱えた。

２　技術者人生をかけて

無数の鉄骨をいかに組み上げるか

日本の建築史に新たな１ページを刻むタワーの建設は、ゼネコンにとっても垂涎の案件だった。施工者はコンペで決まる。とはいえ、「建設できる」という裏付けがなければ、安易に手を挙げることはできない。

無数の鉄骨をどのように組み上げるのか。直径６メートル・長さ１４０メートルものゲイン塔を、いかにして地上５００〜６００メートルのタワーの最上部に取り付けるのか。

完成図は描けていても、そこに至る道筋は示されていない。どんなやり方なら、この巨大タワーを建てられるのか……。

途方もない難題に、名だたるゼネコンが挑んだ。スーパーゼネコンと称される大手の一つ大林組で、その大役を任されたのは当時45歳だった田辺潔。これまで、数々の難工事を斬新なアイデアで救ってきた、大林組の〝頭脳〟である。しかし、世紀の大工事の受注に向けて盛り上がる社内で、田辺は一人静かだった。

「正式に命じられなければ自分の仕事ではないので、あまり関わらないようにしていました。たいへんだからです、たいへんに決まっているから、関わらないほうがいいと思っていたら、ある時期に〝いや、これは君の担当だ〟と、いきなり仕事を振られたんです。軸組フレームだけでつくりあげていくタワーというのは、ビルと違って床がありませんから、極端な言い方をすれば地上600メートルでサーカスをするような状況を想定しなければならない。素人みたいな発言ですけれども、〝これ、どうやって建てるんだ？〟というところからのスタートでした。社内的に、〝おまえが施工計画を決めなきゃ誰も仕事にならないぞ〟というプレッシャーがあって、そうはいっても地道に下から積んでいくような計画では絶対に技術提案コンペには勝てませんから、朝から晩まで悩み通しだった」

技術屋の意地

受注を勝ち取るために、社内では生産技術部と特殊工法部から精鋭が集められ、研究開発グループが発足した。田辺の悩みを、メンバーの水島好人も共有した。

「従来からある自社の工法を組み合わせて草案をつくってみると、建設には5年もかかってしまう。コンペでは工期も他社との競争になるので、38か月から42か月くらいで検討することになり、どうやったら工程を圧縮できるかということも大きな課題でした」（水島）

田辺の1年後輩で生産技術部にいた田村達一は、2003（平成15）年に完成した六本木ヒルズの計画に携わった経験から、こう述べる。

「倍速で建物をつくる一番簡単な方法は24時間仕事をすることです。六本木ヒルズは、夜間も工事をすることで、約3年で竣工できた。一方、新タワーは東京の下町に建てるから夜間に大きな音は立てられなかった」

工期の壁は、技術力で乗り越えるしかなかった。田辺は、自身のエンジニアとしての矜持を支えている上司の訓戒を反芻した。

選りすぐりが集まる生産技術部に田辺が配属されたのは29歳のとき。口下手で、人前に立つのが苦手ながら、ついに一人前のエンジニアとして認められたと思った。が、その鼻はすぐにへし折られた。自信を持って提出した施工計画。気づかなかった問題点をズバリと指摘して却下したのは、社内一の辣腕で鳴らしていた上司の鳥居茂だった。

田辺や水島の手元には、鳥居の厳格さを物語る一通の書面がある。部下たちを震え上がらせた、通称・鳥居通達。曰く、「とにかく自分で勉強して知識を蓄え、技術力は自分でつかむこと」。

田辺は、当時の記憶をたぐり寄せる。

「最初に施工計画を見せたときに、『なんだ、これは。おまえはそれでも技術屋か』と、鳥居さんからガツンと言われたわけですよ。『技術屋なんだから、もっと技術の裏付けがあるものを持ってこい』と。グサッときました。そのときの私は、たぶん楽な設計をしていたんでしょうね」

鳥居の鞭撻に田辺は奮い立った。4年間、毎日のように社内の書庫に籠もり、過去の施工記録を読みあさる。人一倍研究熱心な田辺は、伝統建築から最新技術、さらには特殊な工法まで、しらみつぶしに学んだ。その知識の蓄積が、新タワー建設の難問を解くカギになった。自社の技術であるリフトアップ工法とスリップフォーム工法を駆使し、田辺は前例のない大胆なプランをまとめ上げた。

塔体は3万7000ピースの鉄骨を立体パズルのように地上から組み上げていく。ゲイン塔を設置する500メートル以上では危険の度合いが増すため、ゲイン塔は地上で組み立て、シャフトの空洞を通して吊り上げる（リフトアップ工法）。そうすれば、高所作業を最小限にすることができる。

心柱は、ゲイン塔の後を追いかけるようにコンクリートを積み上げてつくる（スリップフォーム工法）。タワー中心のわずかな空洞を巧みに利用したアイデアだった。

功名心は捨てよ

2007（平成19）年、新タワーの施工は大林組が受注した。とはいえ、万に一つでも工法に穴があれば、工事は命の危険に直結する。かつての東京タワー建設では、高所作業中の墜落死も発生した。新タワーは、そのときの2倍の高さ。日本の建設業界にとって未知の領域である。

「施工会社は、工事が始まる前に建設工事保険を掛けておくんです。ところが、『建てられるかどうかもわからないような建物には保険金が設定できません』と保険会社から言わ

れて、納得してもらえるまで事細かに実施計画を説明しなければなりませんでした」（田辺）

田辺のプランを安全に、なおかつ確実に遂行するためには、現場の目線で解決しなければならない課題も山積していた。田辺の部下で現場配属になった生産技術部の長野義邦は述べる。

「いままでの経験値を上手く利用できる部分が少なく、すべて新しく考えていかなければなりませんでした。たとえば、現場で使う足場です。普通のビルとは違い、建設中の塔体は三次元的に形状が変化していきますから、設置する足場も既製品を使い回すことができなかった。しかし、毎回変わる形状に合わせて足場を製作するのは不可能に近い。そこで、伸縮して形が変わり、さまざまな形状変化に対応できる特殊ユニット足場を独自に考案しました」

鉄骨を高所に吊り上げるタワークレーンも通常のものは使えなかった。建設途中で地震が起きた場合、高所ではクレーンのマスト（支柱）が揺れに耐えられない可能性があるという施工時解析の結果が出ていた。この課題をクリアするため、特注した強化マストと、油圧で揺れの影響を軽減する制振ダンパーを壁繋ぎに組み込んだタワークレーンが現場に導入されることになった。

さらに、高所作業の安全性を高める創意工夫。養生のために張るネットは、台風並みの強風に晒されても外れることがないよう、ワイヤーで補強する。そして、強風対策として開発された、とっておきの装置がスカイジャスターだった。

「クレーンの吊り荷は強い風にあおられるとグルグル回り出すことがあって、これを人の手で止めるのは厄介な作業です。コマの原理を使ったジャイロ機構の働きで、ある程度の回転を止める装置は以前から自社にありましたが、そこに改良を加えて性能を高め、回転を制御するだけでなく、吊り荷の姿勢をコントロールすることも可能にしたのがスカイジャスターでした」（長野）

2008（平成20）年6月、新タワーの名称が「東京スカイツリー」に正式決定した。世紀の難工事の責任者となる総合所長に就任したのは、あの鳥居茂。その指揮下で、田辺は副所長の一人として現場を動かす役目を担った。

田辺が試行錯誤の末にまとめあげた施工計画に対して、鳥居は何も言わずに承認していた。鳥居の一発ＯＫは異例のことだった。

「技術力は自分でつかめ、自分の技術力を信用しろ」

幾度となく聞いた鳥居の言葉である。それを田辺はあらためて肝に銘じた。

「本当にできるかどうかわからないことを成し遂げようと思ったときに、われわれ組織人は……、サラリーマンと言ったほうがわかりやすいかもしれませんが、先のことを考えてしまうんですよ。けれども、その気持ちが強くなって、『認められたい』とか『成功したら昇進できる』とか、功名心みたいなものが出てくると、逆にプレッシャーになって思い切ったことができなくなる。だからスカイツリーの建設が始まったら、自分の技術を信用して、やるべきことに最善を尽くすことだけを考えようと自分に言い聞かせていました」

功名心を振り払うために、田辺は念じた。先はない、これが最後の仕事のつもりで技術者人生をかけ、東京スカイツリーの建設は必ずやり遂げてみせる——。

3 〝最強の鉄板〟に挑む男たち

ツリーを支える鉄

世界一の電波塔を築く大工事。その先陣を切ったのは600メートルのタワーを支える鉄骨づくりであった。田辺たちが求めたのは、通常の鉄塔に使われる鋼材ではなく、極めて強度に優れた特殊な高張力鋼。その開発には、国内の主要鉄鋼メーカー4社が総力を挙げて取り組んだ。

当時、神戸製鋼所で研究開発を担当していた岡野重雄は言う。

「板状の鋼材は曲げてパイプ状に加工しなければなりませんから、単に高強度であるだけでなく、いわゆる粘り強さも必要でした。さらに、パイプ同士の接合はボルトではなく溶接で行います。鉄は高温に熱せられると材質変化を起こすため、溶接しても強度が著しく損なわれないような品質設計をしなければなりませんでした」

スカイツリーに使われる鋼材は地上部分だけで3万6000トン。東京タワーの実に9倍である。大量の鋼鉄の板を円形鋼管（パイプ）に加工するのは全国各地の製罐会社。神戸製鋼所と二人三脚で開発・加工に携わった兵庫県伊丹市にある佐々木製罐工業の技術部長・川辺壮一は、厚さ10センチの鉄板と格闘しながら、音を上げそうになった。

「こんなビッグプロジェクトに参加できるということで喜んでいたんですけれども、いざ加工するとなったら、いやや、これはえらいこっちゃなと。板の厚さも、大きさも、強度も、いままでに経験したことのないレベルだった」

曲げるだけでも至難の業。だが、ハードルはもっと高い。オーダーは歪みのない〝真円〟。たとえば直径2・3メートルの円形鋼管であれば、保証値はプラスマイナス10ミリ。シビアな要求には理由があった。円形鋼管は鉄骨加工メーカーで「分岐継手」と呼ばれる形状に溶接加工される。主管から枝分かれするように分岐管が繋ぎ合わされるパターンは6000通りもあり、一つとして同じ形状のものはない。その分岐継手をパズルのように現場で組み上げて塔体を構築する。安全上、高さ600メートルのタワーの完成時に許される地上とてっぺんとの中心の誤差は6センチ以内。2階建ての高さに換算すれば1ミリ未満である。緻密な計算に基づいた正確無比な巨大タワーは、1か所でも分岐継手の接合部にズレがあれば建たなくなる。製罐会社の加工技術は、スカイツリー建設の生命線でもあった。

「鉄は生きています。10ミリの誤差でパイプ状に曲げても、熱が加わると元に戻ろうとして歪むことがあるんです。鉄骨屋として、絶対に工事の現場に迷惑はかけられない。誤差はプラマイ6ミリ以下に抑えることを目標にプレス機を稼働させました」（川辺）

鉄鋼の街・北九州でも格闘が始まっていた。リージェンシー・スティール・ジャパンの永末拓巳は、鉄板を挟んだローラーの回転を凝視し続けた。操るのはベンディングロールと呼ばれる重厚な工作機械。最強の鉄板がローラーの間で徐々に湾曲していく工程を見つめながら、永末は思った。

「自分はいま、あの山と同じ高さのタワーをつくっているんだ」

地元・北九州市にある皿倉山（さらくらやま）の標高は622メートル。東京のランドマークとなるスカイツリーとほぼ同じ高さである。

「とにかく、硬かったですね。スプリングバックというんですが、鋼材には押しても跳ね返ってくる力があって、それが曲げたときの精度を阻害するんです。失敗したくないという気持ちと、やってやろうという気持ちを抱えながら、毎日、毎日、がむしゃらに曲げていました」（永末）

3万6000トンもの鋼材は、精鋭の職人たちが技の限りを尽くして円形鋼管に加工していった。誤差6ミリを目指した川辺たちが曲げたパイプは、ほとんどが誤差4ミリ以下という驚異的な精度に仕上がっていた。


「この仕事はやりたくない」

円形鋼管の加工は、四国にある小さな工場でも担うことになった。大阪特殊鋼管製造所・徳島工場である。大阪にある本社で営業を担当していた松本敏夫は言う。

「自社で製造するパイプは、土木用の杭であったり、海中の配管であったり、普段はなかなか目にすることができない案件がほとんどなんです。スカイツリーに使われれば、〝これがウチでつくったパイプやで〟って、胸を張って言えますから、是非とも受注したい仕事でした」

松本の熱意あふれる営業活動と、同社の技術力が見込まれ、スカイツリーの心臓部ともいえるゲイン塔の円形鋼管を含む加工が依頼された。松本が頼りにしていたのは、徳島工場にいる腕利きのプレス職人である村野一秀。ところが、「この仕事はやりたくない」と、村野は拒んだ。

最上部に設置されるゲイン塔の骨組みに使われる円形鋼管は、スカイツリー建設のために開発された鋼材の中でも最強度の「80キロ鋼」でつくらなければならない。その鉄板の降伏強度（荷重による変形の指標）は「630N／㎟」。橋梁などの土木分野でしか使われることのなかった鋼材の硬さである。橋を曲げろと言わんばかりの仕事に、村野は躊躇した。

「硬いヤツに耐えられるようなプレス機やなかった。壊れたらおしまいやから」

村野の〝相棒〟であるプレス機は中古品。廃工場から譲り受け、何度も修理を繰り返して古傷だらけのプレス機に、村野は自身の姿を重ね合わせ、愛着を寄せていた。

「俺の人生がガタガタやった、これ（プレス機）もガタガタやった。自分も直さなあかん、機械も直さなあかん、よぅ似とんねんなぁと思ってな」

〝相棒〟とともに挑む

村野は九州・熊本県の出身。21歳で妻の恵子さんと結婚したが、身が定まらなかった。セールス、トラック運転手、ブリの養殖……。どの仕事も短気な性格のせいで長続きしなかった。

「昔はひどかった。嫌と思ったらパッと辞めてしまう。辞めて遊んどる間は、嫁さんに食わしてもろとった」

41歳で無職になっていたとき、声をかけてくれたのがいまの工場だった。最初は、ただしんどいだけだった。しかし、他の職人たちに仕事で負けて辞めたくはなかった。村野は人生をやり直すつもりで腕を磨いた。

「もう必死やわね。これ以上、年を取ったら使うてくれるところもないから」

当時の工場長だった山田昭一（やまだしょういち）は、こう証言する。

「村野さんは取っつきは悪いけど、真面目なんですよ。プレス機の修理も整備屋さんに任せないで自分でやりますし、やっつけ仕事をしないから、それが製品の仕上がりに表れる。村野さんが曲げる鉄板がピッタリ丸く合わさる仕事ぶりは、何回見てもすごいなと思った」

村野はプレス機を自分の手先のように繊細に操った。だからこそ、プレス機の限界値も熟知していた。経験則が通用しない鉄板の硬さに負け、プレス機が壊れてしまえば、工場に多大な迷惑がかかる。それがスカイツリーの仕事を拒んだ理由だった。

しかし、営業の松本もあきらめなかった。優れた製品を扱いながら、「何をつくっているのかわからない」と言われてきた仲間たちのためにも、自慢できる仕事を取りたかった。

松本は、大阪の本社と徳島の工場を何度も行き来し、曲げたパイプの誤差を修正する矯正作業班の職人や、品質管理部の担当者たちにも協力を呼びかけ、外堀を埋めていった。自社が日本一のタワーの仕事を担うという気運を高め、松本は村野を説得する。

「説得というより、ほぼほぼ泣きつきでしたね。『なんとか助けてください』と、必死に拝み倒しました」（松本）

根比べだった。最後は村野が折れた。意を決した裏には、これまで愚痴一つ言わずにパート勤めをしながら家族を支えてくれた妻・恵子さんへの気持ちがあった。

「散々苦労をかけたからな。えらい目をしながら、一生懸命してくれたからな。じきに還暦やのに、いままで旅行に連れて行ったこともなかった。そやから、スカイツリーができたら、ゆっくり見に行こかと」

村野は相棒のプレス機で最強の鉄板に挑んだ。41歳からやり直した人生、遅咲きの男の定年間際に訪れた大勝負だった。

全国から集まった精鋭たち

製罐会社が曲げてつくった円形鋼管は、ファブリケーター（加工業者）に搬入され、「切断」「溶接」「塗装」の工程を経て分岐継手に加工される。3万7000ピースもの鉄骨を使った分岐継手の製造は、1社や2社でこなせる仕事ではなく、全国各地の鉄骨加工メーカーが駆り出された。

過去に例がない総力戦である。が、どの会社にとっても特殊な分岐継手の製造は未知の仕事。各社の調整にはスタートから難航したと振り返るのは、鉄骨の管理を担当した大林組・工事長の大塚英郎（おおつかひでお）である。

「ファブリケーターに集まってもらって、上手くできている工場の見学会をやったこともありました。共有できるノウハウをつくりあげて、それを水平伝達するのが容易ではなかった」

普段はライバル関係にある各社が、一枚岩で分岐継手の製造に専心できる体制をどう整えるか。日建設計、大林組、鉄鋼メーカー、製罐会社、鉄骨加工メーカーが集まり、「鉄骨ワーキンググループ」が結成された。その座長を務めたのが大塚だった。

「毎週会合を開いて、新しい鋼材を開発してもらったり、大臣認定を取ってもらったり、質疑をしたり、意見を取りまとめたりを繰り返しました。心掛けたのは、話し合いの結論が伝言ゲームにならないよう参加型の会議にして、各社の担当者には必ず発言してもらい、上下関係をつくらないことだった」

ミリ単位の正確さでさまざまな角度に切断した円形鋼管を溶接し、分岐継手をつくる。その過程で浮き彫りになったのが溶接の問題だった。特殊な鋼材同士を接合する難しさに加え、墨田区押上での建設が始まれば、高所で作業しなければならない。現場によっては頭上の鉄骨を下から溶接するケースも出てくる。建設業界には「建築鉄骨溶接技量検定」

という制度があったが、さらに上のレベルでの職人技が必要だった。

必要な人材は、異例の方法で発掘した。工事長の大塚は全国の鉄骨加工メーカーの工場溶接技能者および工事現場の溶接技能者に、技量付加試験を実施した。工事長として現場に入り、後に副所長となる杉本直樹(すぎもとなおき)は言う。

「高所での溶接は火花などを飛ばさないように周囲を6方シートで囲み、その中で作業します。選りすぐりの溶接工は、夏になれば地獄のような暑さに耐えながら技術を発揮しなければなりませんでした」

塗装は、亜鉛めっきに相当する耐食性を有する重防食塗装の上に耐久性の高いフッ素塗装を施した。環境に配慮し、なおかつ耐久性に優れた最先端の塗装であったが、工程の管理には想像していた以上の苦労があったと大塚は話す。

「寒いと塗装が乾きにくく、暑いと表面だけ早く乾きすぎる。高温多湿だと硬化不良で変質することもある。秋田の工場と九州の工場とでは気象条件が異なるし、海に近い工場では塗装前に素材表面の酸化膜や溶接のスラグ（溶接中に生じた酸化物）を剝(は)がしてピカピカにした面が、通常4時間くらいのところ1・5時間で錆(さ)びはじめてしまうこともあった。各地の工場から塗装が予定通りに進まずに納入が遅れそうだという連絡が入ったこともしばしばでしたが、最終的にはすべての鉄骨加工メーカーが完璧な仕事をしてくれました」

3万6000トンに及ぶ鉄骨が、世界一の電波塔を築く東京・下町の現場に続々と運び込まれた。そこに、全国から選び抜かれた超一流の鳶工、溶接工、測量工、鍛冶工らが集まった。

600メートル超のタワーの建設は、すでに2008（平成20）年7月14日から地下に向かって進められていた。大林組が研究開発したナックル・ウォール工法で、50メートルの深さまで縦穴が掘られ、コンクリートを流し込んで壁杭を構築する。これがツリーの〝根〟となる。

2009（平成21）年4月6日、立柱安全祈願が執り行われ、天空を目指す地上の大工事がいよいよ始まった。総合所長の鳥居は、居並ぶ挑戦者たちを前に声を張り上げた。

「必ず、600メートルのタワーは建つ！　必ず、終わる！」

号令一下、日本の建設技術を世界に知らしめる工期3年半の巨大プロジェクトが、一気に動き始めた。

4　競い合う鳶職人たち

ギラギラした緊張感

墨田区押上の建設現場には、仕上げられた鉄骨が続々と運び込まれていた。

鉄骨を組み上げていく作業を「建方」という。下町のど真ん中で夜間の建方はできなかったが、全国各地の工場から鉄骨を載せてくる大型トレーラーは、道路が混まない夜中に走って距離を稼ぐ。輸送上の規制で、走行できる時間が午後10時から翌日午前6時までと決められていたからだ。早朝から始まる荷受け作業では、鉄骨班の主任を務めた大林組の吉川俊が、到着した鉄骨の一つひとつをチェックした。

「今日も安全に頑張ろう！」

午前8時、鳶たちの声が響き渡る。現場にはギラギラした緊張感が漂っていた。高所作業に定評のある鳶たちとはいえ、待ち受けているのは未知の高さ。生産技術部の長野は、工事が始まる前に大学の研究実験施設に鳶工や溶接工を連れて行き、大きく揺れる部屋の中で作業ができるか、また船酔いの症状が出ないかなどを確認していた。それほどの厳しい作業環境に加えて、工期は約3年半という短さ。建方にはスピードが要求されるが、わずかな手抜きも許されない。

鉄骨班の主任として鳶たちと行動をともにした大林組の小林淳一は言う。

「〝そり〟や〝むくり〟があるスカイツリーの鉄骨は、一個一個の部材があっちを向いたり、こっちを向いたりしていて、長さや角度が全部違う。屋外での組み立て作業では、風の影響で位置が傾くこともあるし、日射の熱で鉄が伸びることもあるんです。それを精度数ミリで合わせていかなければなりませんから、本当にくっつくんだろうかと……」

小林は、思わず不安を口にしたことがあった。すると、

「バカ野郎、もっと自信を持て」

一喝したのは、所長の鳥居だった。

「それが説教じゃなくて、本当に温かみのある雰囲気で励まされたんです。その一言で緊張の糸がほどけて、よし、頑張ろうと、気持ちを新たにしたことをいまでも覚えています」

施工の現場で右手となるのは鳶たちの存在。小林は自分に言い聞かせた。

「大丈夫だ、ここには日本を代表する鳶さんたちが集まっている」

ケタ違いの仕事ぶり

スカイツリーの脚は3本。建方は、それぞれ別の会社が担当する。発注を分けたのは、競い合い、切磋琢磨しながら工期内に難工事をやり遂げてもらう意図があったと副所長の田辺は言う。

東側の現場を請け負ったのは、松村組・西中建設。難工事の現場に必ず現われる精鋭集団である。

北側は、鈴木組。抜群のチームワークと安定感を買われて抜擢された。

そして西側は、橋の建設を得意とする宮地建設工業。職長の半田智也は当時31歳。専門学校で建築工学を勉強し、橋の建設を得意とする宮地建設工業。地図に残るような仕事に携わりたくてこの会社に入った。11年目、気配りにあふれる人柄が認められ、鳶たちを指揮するリーダーを任された。だが、スカイツリーの仕事には逡巡した。

「率直に言うと、嫌でした。あの現場には行きたくないというのが正直な気持ちでした。僕らは普段から高いところで仕事していますし、自分の実力を試したいとは思っていましたが、600メートルという場所は見たこともないし、行ったこともない。そんなところで仕事ができるのかという怖さが……、やっぱり、ありましたね」

しかし、会社にスカイツリーの仕事が舞い込んだとき、ちょうど2人目の子どもが生まれたばかりだった。親父として、子どもが自慢できる仕事をしようと一念発起し、大役を背負った。

そして臨んだ現場。半田たちを圧倒したのは、他のチームの仕事ぶりだった。最初に度肝を抜かれたのは、西中の鳶たちのスピード。まさにケタ違いだった。

「カルチャーショックでした。西中さんのところは今井（いまい）さんと森川（もりかわ）さんというツートップがいて、何をやっても速いし、動きに無駄がない。同じような場所で、同じクレーンを使ってやっているのに、何でこんなに差がつくのかわからなかった」

西中では、下で鉄骨をクレーンに玉掛けする「地走り」を今井雅裕（まさひろ）が受け持ち、上で鉄骨を組む「取り付け」を森川哲治（てつじ）が指揮していた。足場の上で曲芸のごとく自在に鉄骨をさばく森川の仕事ぶりに、半田は目を奪われた。

「自分もそこそこできるという自負はあったんですけれども、本当に、井の中の蛙（かわず）だったんだなと思いました」

チーム同士の切磋琢磨

現場で圧倒的な存在感を示した森川は、〝カリスマ鳶〟と呼ばれていたベテラン。幼い頃に両親が離婚し、母親に育ててもらった森川は、中学を卒業して15歳で鳶になった。叩き上げである。

「片親で、お金もないから、自分が働かなきゃいけなかった。離婚した親父が鉄工所で働いていたので鉄骨は見慣れていたし、地元の先輩たちに聞いたら、一番稼げそうな仕事が鳶だったんです。高いところも怖くないし、それならやってみようかなと」

15歳はまだ成長期。体の小さな森川は、資材のパイプを運ばせても、先輩鳶と同じ本数が担げない。現場では半人前。仕事を終えて汗まみれの作業服姿で歩いていれば、周囲から厳しい目で見られた。「鳶なんかとつき合うな」と、親から言われた友人もいた。

しかし、へこたれなかった。筋力トレーニングで体を鍛え、母親に特大の弁当をつくってもらい現場に入る。現場で覚えたことは毎日ノートに書き、仕事のコツを頭に叩き込んだ。

「毎回教えてもらえないですからね。一回聞いたことは忘れないようにメモしたり、どうやれば仕事が速くなるか自分なりに考えて整理したり。そのノートを社長が見て、『頑張ってるな』と言ってくれて、次の月、給料が上がってました」

森川は努力で技を磨いた。そして、渡り歩いた現場で3歳年上の今井と出会う。

「日本一の現場で、日本一の職人になりたい」

そう語る今井と、森川は馬が合った。六本木ヒルズの建設でもコンビを組んだ。

「ただ速いだけでなく、もっとスマートにできないかと、普段から2人でよく話していた」（今井）

今井と森川の仕事は、「速くて美しい」と評価されるようになった。スカイツリーの建方でも、西中の段取りには一切の無駄がなかった。

鉄骨班主任の小林は言う。

「朝礼のとき、西中さんのチームはいつも階段の近くに陣取っていて、朝礼が終わった瞬間に速やかに作業場に移動して、いの一番に鉄骨を吊り上げていくんです。一人ひとりが常に先手先手を考えながら効率的に動いていて、立ち止まってボーッとしている時間がまったくないという印象でした」

北側の鈴木組も、必死に食らいついた。「地走り」の溝江正幸（みぞえまさゆき）と、職長で「取り付け」の大熊英雄（おおくまひでお）は、休日に趣味と研究を兼ね、各地で新しく始まった工事現場を見に行くこともあった。2人ともタワークレーンが好きなのだと大熊は話す。

「この現場のタワークレーンはスカイツリー用につくられたものだから、組み立ててからワクワクして、私らは1日で組んだんです。ところが西中さんはクレーンにブームをくっつけるところまで1日で終えた。これはもう、本当に競争だなと思いました。どうやったら速く仕事が進められるか、そればかり考えているからクレーンと鉄骨が夢に出てきたこともあって、寝言で『ゴーヘー！』って叫んでいた」

「ゴーヘー」（go ahead）は、クレーンを巻き上げる指示を出すときの掛け声。チームのムードメーカーでもあった大熊は、職人たちを鼓舞（こぶ）して西中のペースに迫った。

他方、もっともスピードが遅かったのが宮地。タワークレーンを建てる時点で3日を費やした。3チームが同時に作業をスタートしたスカイツリーの3本の脚は〝鼎（かなえ）〟と呼ばれ、高さ50メートル地点で合体する。1チームでも遅れれば、そこから先の建方はストップしてしまう。

半田のチームが、足を引っ張っていた。

半田の苦悩

「いつまでちんたらやってるんだ！」

容赦のない言葉が半田に飛んだ。3チームが同じゴールに向かって、同じスケジュールで仕事を進めなければならないことは、現場の誰もがわかっていた。半田たちの遅れが原因で、他のチームが次の作業に入れないことも出てきた。それでは全体の工期にも支障を来しかねない。半田は、針の筵に座っているような心境だった。

「3社が同じことをやっているというプレッシャーはすごくて、毎日が運動会みたいな気持ちで仕事をしていたんですけど、毎回3位。『はい、西中さん終わりました』『鈴木さん、終わりました』『宮地さん、いつまでやるんですか?』みたいな状況が続いて。言い方は悪いですけど、他のチームは敵でしたよね。『真似しないでね』という雰囲気は伝わってきたし、こっちも『意地でも真似しない』と思っていましたし」

建設業界に飛び込んで11年。ベテランの職人にしごかれて、ようやく鳶たちを統率できる自信をつかんだはずだった。これまで全国の現場を転々とし、家族とは会えないことも多かったが、心配させまいと絶対に弱音は吐かずにきた。しかし、このままでは他のチームとの差はどんどん開いていく……。

じつは、そんな宮地の仕事ぶりに「丁寧だった」という印象を抱く者もいた。鉄骨班主任の小林である。もともと橋梁を得意とする鳶集団の宮地は、上に向かうよりも横に向かう工事のほうが強く、タワークレーンの扱いも西中や鈴木に比べれば慣れていなかった。また、土木系の橋梁工事では、建築系の現場とは異なる玉掛け具などを使うこともある。

半田たちの作業の遅れは必ずしも能力が劣っていたわけではなく、建方の手法の違いにも起因していた。

しかし、「意地でも真似しない」と、西中や鈴木の作業に目もくれなかった半田には、その違いが見えていなかった。気ばかりが焦り、現場で声を荒げることが多くなる。

「ウチの鳶さんたちは半分以上が目上の人なのに、『あれやっとけよ』『これやっとけよ』と、命令口調になった。そのときの私は、たぶん、クラスの嫌われ者みたいな感じだったと思います。嫌われ者が何を言っても、相手にしてもらえないような感じで」

それでも必死で現場を回そうと、半田の口調はどんどんキツくなっていった。反発する鳶もいた。だが、言い返されるうちはまだよかった。溝はさらに深くなる。

「この仕事を降ろさせてほしい」

一人、また一人と、宮地チームから鳶が去って行った。

「私としては発破(はっぱ)をかけ続けていたつもりだったんですけど、相手からすれば、そうは受け取れなかったんでしょうね。まだ工事は序盤なのに、私の責任で何人もの鳶さんがリタイアした。もう、自分もこの現場から逃げ出したかった」

半田は精神的に追い込まれた。スカイツリーの仕事を続ける自信を失った。

転機となった花見

　工事が進む中、半田たちのチームは依然として作業のスピードが上がらない。現場には3つのチームがにらみ合うような緊張感が漂ったままだった。しかし、そんなある日、ひょんな話が持ち上がった。

「花見をやらないか」

　押上の建設現場からほど近い隅田公園は、都内でも有名な花見の名所。酒が飲めるとなれば異論は出ず、思いも寄らぬ3チーム合同の花見が催されることになった。

「そのときもまだ仲良くないですよ。仲良くないけど、一緒にやるんだから、一緒に準備しようよと。もう、なんとも言えない空気の中で私も一緒に買い出しに行きました」（半田）

　仕事が引けた夕方。桜の木の下で鳶たちの宴が始まった。ゴミ袋に入れたお湯で一升瓶ごと熱燗にし、あとは銘々で酌み交わす。ざっかけない職人たちの酒盛りである。

　最初のうちは3チームが別々に輪をつくり、誰も交わろうとはしなかった。だが、酔いが回れば様子も違ってくる。

「職人なんてクセのある人が多いですから、酔い出すと大人しくしていないで、みんなしゃべり出すんですよ」（森川）

他のチームに声をかける鳶も出てくる。緊張しながら飲んでいた半田も、度胸が湧いてきた。

「大熊さんは歳も近かったので声は掛けやすかったんですけど、森川さんのところは近寄りがたいオーラみたいなものがあって、私も探り探りお酒を飲んでいたんです。だけど、いつの間にか酔っ払って、思い切って話しかけてみると、森川さんたちは意外に気さくだった。向こうがいじってくれて、こっちも返して、みたいな感じになったんです」（半田）

現場にいるときとは違った雰囲気で会話が進む。

「おまえんとこさぁ、もっと速くできねぇのかよ？」

「いや、わかってんすよ、申し訳ない」

「まあ、頑張れよ」

「はい、ありがとうございます！」

花がほころぶように鳶たちの表情は和み、敵対していたチーム同士の距離が縮まっていく。公園に陣取っていた3つの輪が、気がつけば1つになっていた。そのとき、半田は思った。

「一から勉強し直そう」

目指す頂点は同じ

花見の翌日から、半田はライバルチームを訪ねるようになった。

「お、盗みに来たな?」

「はい、ちょっと勉強させてください」

「なんだ、真似すんのか」

「図面のここなんですけど……」

恥を捨て、半田はわからないことを素直に聞いた。カリスマ鳶の森川は、冗談まじりに、しかし真剣に応じた。チーム同士で情報交換が行われるようになり、半田たちに向けられるのは辛辣(しんらつ)な文句ではなく、的確なアドバイスに変わっていった。

学んだことは持ち帰り、どうやったら自分たちで生かせるか、半田はチーム内で話し合った。鳶たちからもアイデアが出始める。橋の建設で名を売ってきた意地がある。「負けていられるか」という気概が宮地チームに満ちてきた。一時は逃げ出したいとさえ思ったスカイツリーの現場が、日に日に楽しくなっていったと半田は言う。

「作業への意識が、『まだ頑張ろう』から『もうちょっと頑張ろう』に変わり、『頑張ろう』から『やってやるぞ』に変わった。ウチの鳶さんたちも、負けっぱなしじゃおもしろくないですからね。歯を食いしばって、本当に一生懸命やってくれた」

西中チームは相変わらず速かった。鈴木チームも負けじとペースを上げた。そこに必死で食らいつく宮地チーム。

「鉄骨を組むのは競争でしたけど、西中さんのクレーンが空いているときに、ウチが揚重するはずの資材を代わりに上げてもらったこともありました」（半田）

3チームの息が合ってきた。目指す頂点は同じ。高さ50メートルの通過点に達したとき、〝鼎〟は寸分違わぬ精度で合体していた。

5　頼もしきリーダーの急逝

「世界一」のための計画変更

スカイツリーの建方はペースが上がり、順調に天空を目指していた。その頂点が、さらに天高く伸びることになった。2009（平成21）年10月16日、設計段階で610メートルだった高さが、634メートルになることが発表されたのだ。

これは、中国の広州タワーの高さが610メートルとなったことに対抗する計画変更だった。〝世界一〟の座は譲れない。634メートルは、東京の旧国名である「武蔵（むさし）」にちなんだ数字であった。

634メートルに届くのは、スカイツリーのてっぺんに設置されるゲイン塔である。その骨組みに使う円形鋼管を製造する大阪特殊鋼管製造所・徳島工場では、プレス職人の村野が孤軍奮闘していた。

ゲイン塔の部材は、特注の鉄板の中でも異次元の硬さ。相棒のプレス機はしばしば限界を超え、村野の顔を曇らせた。

「鉄板のほうが強いから、機械の刃が潰されて、へこんで、使えんようになる。刃は2回、替えた。それくらい硬かった。曲げてると、機械の音がちごうたもん。いつもの音じゃない、重たーい、苦しーい、みたいな音。あれ、初めて聞いた。悲鳴やね、機械が『オレはしんどいで』っていう」

村野はプレス機に負荷をかけながら、自分自身の肉体も極限まで追い込んでいた。仕事を終え、帰宅して風呂に入ると、もう余力は残っていない。そんな毎日が続くうちに、傷だらけの相棒の声が聞こえてきた。

「機械がね、『あなたがちゃんと使えたら、ちゃんと動きますよ』って言うてる。そやから、私も無理する、機械にも無理させる。お互いに無理して、この仕事を済まそうと」

信頼ゆえの一蓮托生（いちれんたくしょう）。村野はプレス機の限界まで圧力をかけた。スクラップ寸前だった中古の機械が、最新の技術で開発された無双の鉄板を曲げていく。

村野は、4200トンの円形鋼管を、たった一人で巻ききった。帰宅して風呂から上がると、体はへとへとに疲れ切っていたものの、妻の恵子さんと飲んだビールが心地よく胃にしみた。

完成したスカイツリーを2人で見上げれば、自分の仕事を妻に見せることができる。村野は、その日を待ち遠しく思った。

死と隣り合わせの現場

2010（平成22）年3月29日、建設中のスカイツリーの高さが338メートルに達し、ついに東京タワーを超えた。ここからは、誰一人経験したことがない高さ。未知の戦いの怖さは、すぐに訪れた。

「落雷です、警報レベル3です、避難してください——」

高所作業の現場にアナウンスが響き渡る。最初の洗礼は落雷だった。地上で見る雷とはわけが違った。雷鳴と稲光は、真横から襲ってくる。宮地チームの半田は肝を冷やした。

「雷だけは避けられない、直撃したら丸焦げになるよと言われていたので、怖かったですね」

さらに、風速10メートルを超える突風がひっきりなしに襲ってくる。さしものカリスマ鳶もたじろいだ。

「半端な風じゃなかった。風のほうを向いていると息ができないんですよ。他の現場では経験したことのない怖さだった」（森川）

この時期、森川は妻によく「寝言で叫んでいる」と言われた。鈴木組の大熊もそうだったように、現場の鳶たちは夢にうなされるほど常に緊張を強いられていた。

心配しなければならないのは、自分の身のことだけではなかった。森川が振り返る。

「たとえボルト1本でも、この高さから落として下にいる人に当たれば、ヘルメットをかぶっていても貫通します。ビルと違って床がないところで作業しているわけですから、何か落ちたらたいへんなことになる。高さには慣れてきますけど、慣れが油断に繋がることが一番怖かった」

15歳から鳶の現場で働き始めた森川は、これまで仲間が事故で命を落とす場面に何度も遭遇してきた。〝安全にやり遂げる〟ことは、日本一の職人を目指してきた男の意地だった。

〝鉄のお化け〟を吊り上げよ

2010（平成22）年8月、組み上げてきた鉄骨は400メートルを超えていた。スカイツリー建設は、いよいよ正念場を迎えていた。

タワーのてっぺんに設置するゲイン塔のリフトアップが始まっていた。その工程を担当したのは、地下の躯体工事からプロジェクトに携わっていた大林組の籏持天文（はたもちたかふみ）。所長の鳥居から「基本原則を忘れずに、しっかりチャレンジしろ」と、リフトアップ班のリーダーに送り出された。

「塔体の上に見えるゲイン塔は140メートルですが、その下部に付設する避難階段まで含めれば、全長240メートルくらいあるんです。重量も3000トンという〝鉄のお化け〟みたいなもので、それを地上でつくりあげるところから難しい作業の連続でした」

課題は、ゲイン塔を組み立てる場所、つまりはシャフトの内部の狭さである。

「シャフト内部の空間は直径10メートル程度。その中で、ゲイン塔を構築しなければならない。隙間は2メートルくらいしかなく、常に接触の心配がありました。正確な位置はカメラユニットによる位置計測システムで確認していたんですが、狭い場所で通常の組立手順とは違うため、精度の管理が本当に難しかった」（籏持）

リフトアップ工法を考案した副所長の田辺は、総合所長の鳥居から計画の詳細を託されていた。巨大なゲイン塔を634メートル地点まで吊り上げるために必要なワイヤーや固定装置は、田辺が自らの責任で決定してきた。世界にも前例がない試みである。本当にできるかどうかは、田辺の見通しが正しいか否かにかかっていた。万が一、備えに抜けがあれば、鉄のお化けが地上に落下し、大惨事となる。

「たぶん、無理だよ。あのやり方で建つわけがない」

そんな声も田辺の耳には入ってきていたという。

「極端な話ですが、途中で倒れちゃったらどうするんだ、という人もいた。仮にできなかったとなれば、他の人は『元々無理な計画だった』と言えるんですよね。だけど私は……、私だけが、それを言えないんです。そのことが一番のストレスであり、プレッシャーでした」（田辺）

田辺が重圧と戦っていたこの頃、総合所長の鳥居は、工事を田辺たちに任せ、現場を空けることが増えていた。

スカイツリー建設の現場にとって精神的な支柱でもあった鳥居に、末期の食道がんが見つかっていた。

突然の異変

鳥居が体に異変を感じたのは2009（平成21）年12月のことである。スカイツリーの高さは200メートルを超え、正三角形だった断面が円形に近づきつつあった。その頃、仕事を終えて帰宅した鳥居は、晩酌を楽しみながらスカイツリーの話をすることが増えていたと、妻の紋子（あやこ）さんは言う。

「たいへんだけれども、やりがいがあるって言うんですかね。思わず話したくなっちゃうみたいな感じでした。私も聞いていて楽しかったんですけど、食事が喉（のど）につかえて、しょっちゅうむせるようになって、『どこか変なんじゃない？』って聞いたら、『実は飲み込めないんだ』という話になって」

紋子さんは、鳥居の父が食道がんだったことを思い出した。2人で病院へ行き、検査を受けると、悪い予感は的中した。告知されたのはステージ4の食道がん。

年明けから入退院と通院を繰り返し、抗がん剤治療や放射線治療などを受け、鳥居はがんと闘った。

「弱気なところは一切見せませんでした。ストレス解消の道具だと言って止めなかったタバコもピタッと止めて。スカイツリーを完成させるという使命感なんでしょうね。治療も効果があったようで、7月に内視鏡検査を受けたら、初見ではわからないくらいがんがきれいになっているとと先生から言われたんですよ。あのときは、それはもう嬉しそうな顔をしていました」（絞子さん）

自分ががんになったことを鳥居は一部の関係者だけに伝えていた。田辺も鳥居から直接聞かされていた一人である。

「鳥居さんから『治療でしばらく休みがちになるだろうから、自分が現場を空けたときは頼む』と言われ、私も『大丈夫です、現場は任せてください』と約束しました。そのときに、がんであることも聞かされましたけれども、夏になって『完治した』とご本人が言うので、部下たちが集まって快気祝いもやったんですよ」

喪失と決意

大病を経験しても、仕事に対する厳しさは変わらない。鳥居は現場に顔を出し、部下たちを鼓舞して回った。

「弱気なやつはいらねえ、思い切りやれ！」

頼もしいリーダーが帰ってきた——と、誰もが思った。しかし、鳥居が最後まで現場を指揮することは叶わなかった。

鳥居が急逝したのは8月12日。訃報（ふほう）に、田辺は言葉を失った。

「外にいた私の携帯に電話がかかってきて、鳥居さんが亡くなったと……。治って元気になったと思っていましたから、もう、びっくりですよ。現場でも、みんな真っ青な顔をしていて、これからどうするんだという雰囲気だった」

現場は動揺していた。鉄骨班主任の小林は言う。

「もう、騒然としましたよね。たしか、現場の作業を一回全部止めたはずです。それほど喪失感は大きかった」

前日まで、鳥居の様子に異常はなかった。たった一晩で容態が急変し、救急車で病院に運ばれ、その日のうちに息を引き取ったと妻の絞子さんは言う。

鳥居の葬儀には約５００人の参列者があった。田辺は、悲しみに暮れながら、一方で無念さも滲ませていた。

「私がいないところで、鳥居さんが『このスカイツリーができるかどうかのカギは田辺の知恵にかかっている』と言っていたという話を聞いたんです。それはとても嬉しかったんですけれども、スカイツリーはまだ完成していませんでしたから」

技術屋として自分が本当に知恵を出し切れたのかどうか。その結果を見届けることなく、鳥居は他界した。田辺は、鳥居のなきがらに誓った。

「この工事は必ず成し遂げます」

火葬場に向かう車窓から、妻の絞子さんが撮影した1枚の写真がある。江戸川の土手から見える東京の景色には、未完成のスカイツリーが写っていた。

6　完成間際を襲った大地震

日に日に高まる期待

2010（平成22）年10月23日、スカイツリーは塔体の最終地点である497メートルに到達した。

シャフトの内部では、すでにゲイン塔のリフトアップが始まっていた。長さ140メートルのゲイン塔は中空で垂直に伸び、重心が高くなればなるほど不安定になる。それを6方向から7段、42個の固定装置で支えながら、シャフトの壁にぶつからないようワイヤーで吊り上げる。ジャッキアップを9か月間ひたすら繰り返し、北九州の皿倉山より高い634メートルの頂上を目指す。重さ3000トンもの〝鉄のお化け〟に山登りをさせるに等しい難工事、まさに山場である。

鳥居の死から3か月が経過していた。500メートルを超えたスカイツリーを見上げながら、田辺は祈る思いだった。

「この工事が無事に終われば、自分の身はどうなってもいい。工事の途中で自分が潰れてしまうこともあるかもしれない。それでも、誰の力を借りようとも、とにかくスカイツリーが完成してくれさえすればいいと思っていました」

リフトアップを任されたのは、橋梁の建設現場でよく似た工法を経験している宮地チームである。あの花見から1年半が経ち、リーダーの半田の顔つきには自信が満ちていた。

「上に行くにしたがって高さには慣れてきて、もう〝怖い〟という感覚はなくなっていました。もちろん気は抜けませんでしたが、500メートルでも平気で梁の上を歩けた。現場に行くのが楽しみでしたからね。作業が遅れていた頃は、他のチームに気づかれないように小さな声で『おはようございます』って言っていたのが、毎朝、現場中に聞こえる大声で気持ちよくあいさつできるようになっていました」

完成が近づくスカイツリーに対する世間の注目と期待も、日に日に高まっていた。墨田区の調査では、2011（平成23）年の正月をまたぐ年末年始の6日間で、スカイツリーを見学するために建設現場の周辺を訪れた人の数は日中（午前10時〜午後4時）だけで2万8000人。「スカイツリー詣」という言葉も生まれた。

雅やかなデザインを手掛けた日建設計の吉野も、週に一度は建設現場の事務所に足を運んでいた。

「現場事務所は仮設の塀に囲まれていて、ゲートから塀の外を見ると、いつも大勢の人が建設中のスカイツリーを見上げていた。そのゲートを通って鳶さんたちが作業現場に向かうんですけど、『これを建てているのは俺たちなんだ』という感じで、胸を張って威勢よく出て行く姿が凛々しかったですね」

季節は冬。スカイツリーの足元は吹きさらしで寒風が舞った。が、上空の寒さは比較にならないほど過酷だったと、鈴木組の大熊は言う。

「天気には敏感になった。下は雨でも上は雪の日が結構あって、クレーンのフックが凍ってしまうんです。朝、そのままクレーンを動かすと、ワイヤーについている氷が飛んで下に落ちてしまうから、夜のうちに不凍液をかけたり、明け方に上まで氷を溶かしに行ったりして、寝不足になることも多かった」

冬場を乗り切り、春が訪れる頃には、スカイツリーは無事に634メートルに到達しているはず。現場には、ゴールを目前にした高揚感があった。

しかし、〝無事〟では済まなかった。巨大なタワーが横に5メートル揺れた——。

東日本大震災

2011（平成23）年3月11日。その日、スカイツリーの高さは619メートルに達していた。ゲイン塔はすでに9割が塔体の上に引き揚げられ、残すは1割。根元を留める固定装置が、付け替えのために一部外されていた。

「2時だよ、リフトアップは2時に再開！」

昼休憩を取る鳶たちに、半田が呼びかける。2時7分。雪がちらつく中でリフトアップがスタート。

ほどなく、〝あの瞬間〟を迎えた。「地鳴りがした」と話すのは、地上にいた鉄骨班主任の小林である。

「1階部分から見上げると、タワークレーンが大きく揺れて、スカイツリーの塔体から見えたり、隠れたりしていた光景が今も鮮明に目に焼き付いています」

鈴木組の大熊は、4階部分からタワークレーンを見ていた。

「クレーンが暴れていた。その後を追うようにゲイン塔が揺れ始めて、そのまま落ちてくるんじゃないかと、まわりはみんなパニックになっていた」

「思い出すだけでも恐ろしい」と述べるのは、495メートル地点にいたリフトアップ班の簾持だ。

「とにかく急いで全員避難させなければならないと思いましたが、みんな手すりにしがみついたり、床に這(は)っていたりして、立っていることもできない状況でした」

地震対策の切り札である心柱は、まだ建設途中だった。未曽有(みぞう)の被害をもたらした東日本大震災は、スカイツリー建設にとって最悪のタイミングで襲ってきたと田辺は言う。

「固定装置が一段外されていたゲイン塔は非常に不安定な状態で、施工の過程で一番の弱点を突かれたと思いました。かと言って、そのとき私は隣のビルの10階にいましたから、何もできないわけですよ。揺れの恐怖を感じながら、現場の無事を祈るしかなかった」

４９５メートル地点でゲイン塔のリフトアップ作業中だった半田は、生まれて初めて「死」を身近に感じたと言う。

「足元は横に揺れているのに、ゲイン塔がポン、ポン、ポンと、縦に弾んでいるように私には見えたんです。塔体の鉄骨もギシギシと音を立ててきしんでいましたから、これはもう倒れる、スカイツリーそのものが倒れて、自分もこのまま死んじゃうんだって、本気で一瞬、思いました」

建物は倒れなかった。未完成のスカイツリーは、震度5強の揺れに耐えた。計算し尽くした計画で組み上げてきたノッポなタワーは、３本の脚で踏みとどまったのだ。

しかし、大惨事の危険はまだ喉元に突きつけられたままだった。

ゲイン塔を固定せよ

４９５メートル地点でメガホンを片手に避難の指示を出していたのは、大林組の特殊工法部からリフトアップ作業の応援に来ていた水島。退避は速やかに行われ、全員の無事が確認された。

いつまた余震に襲われるかわからない状況で、これ以上の作業は不可能に近い。だが、スカイツリーの〝弱点〟を知っている者は、誰もがジレンマに陥って(おちい)いた。

東日本大震災では東京タワーのアンテナ支柱が曲がった。固定装置が一段外れたままになっているスカイツリーのゲイン塔が、はたして持ちこたえられるか——。

そのとき、声を上げた者がいた。地上450メートル地点の第2展望台に避難していた宮地チームの半田だった。

「行けるか？」

半田がチームの職人たちに問う。

「行きます！」

即座に全員が応じた。ゲイン塔を固定するために、もう一度タワーのてっぺんに登るという半田の判断だった。余震が続く中で作業すれば、自分たちの身も危険に晒される。だが、逡巡はなかった。

「怖かったですけど、あの揺れで死ぬかもしれないと感じた中で、もしもゲイン塔が倒れたら、いったいどれだけ大きな被害になるんだって思ったんですよね。ゲイン塔が安定するところまでリフトアップして、なにがなんでも固定しなければならないという意志でした」

半田を先頭に、20人が再び階段を上り始めた。その姿を見ながら「作業続行」のアナウンスをしたのは、数十分前に495メートル地点で半田とともに揺れを体感した籏持。頭が下がる思いだったと、籏持は振り返る。

「あの場面だったら、普通はひるんでしまうと思うんですけど、半田さんはまったくそういう素振りを見せず、迷うことなく行動した。とにかくやるんだという意気込みと、やらなければならないという使命感ですよね。本当に勇敢（ゆうかん）だった」

40分後、半田たちは全員無事に帰ってきた。ゲイン塔は固定された。天空の大工事は、最大の危機を乗り越えた。

誰も見たことのない景色

東京スカイツリーが634メートルに達したのは、それから一週間後のことだった。その頂（いただき）に、一番に登ったのは半田。日本一の場所から眼下に広がる眺望を、半田は仲間たちと分かち合った苦労とともに噛みしめた。

「やったなーっていう感じでしたね。ウチの鳶さんたちも歯を食いしばって、本当に一生懸命やってくれた。達成感しかなかったです。スカイツリー建設に携わって、仕事との向き合い方も、鳶さんたちとの向き合い方も、他の業者さんとの向き合い方も、まるっきり変わったと言ってもいいと思います。この建物が、井の中の蛙だった自分を成長させてくれました」

タワーの点検に回っていた森川も、すぐにてっぺんに駆けつけた。

「今まで誰も見たことのない景色ですからね。仕事もやっていて楽しかったし、この景色をお金をもらって見られるんだから、鳶っていいなと思いましたよ。若い頃は鳶職だって言えないときもあったんです。だけど今は、スカイツリーをやった鳶職だって、自慢できますもんね」

実は現場では、スカイツリーの完成前から「誰が最初にてっぺんに登るか」が、密かな話題になっていた。半田はこう話す。

「オレが先だって、ずっと思っていました。施工者を差し置いてって、後で大林組の社員さんから言われちゃいましたけど」

苦笑する半田を、森川がフォローする。

「オレたちの特権だよね（笑）」

スカイツリーの建設がスタートしたとき、現場で敵対し合っていた半田と森川。ゴールしたとき、半田は敬意を込めて森川を「哲さん」と呼び、森川は親しみを込めて半田を「半ちゃん」と呼ぶようになっていた。

大林組の田辺は、道半ばで亡くなった鳥居に、スカイツリーの完成を報告した。

「約束、守りましたよ」

スカイツリーのてっぺんからの景色を、田辺は鳥居にも見せたかった。現場の仲間たちはゲイン塔の先端に鳥居の写真を掲げた。そこに写っているのは、亡くなる2週間前に現場を鼓舞していた鳥居の姿。写真の裏には、「総合所長鳥居茂氏と共に」と、一同の思いが綴（つづ）られていた。

スカイツリーのてっぺん――。地上との中心の誤差は、半径6センチ以内と設定されていた。完成後に測定した実際の誤差は、半径2センチ以内に収まっていた。

それぞれの思い

2011（平成23）年7月24日、テレビは58年に及ぶ地上アナログ放送を終了し、東北

3県(岩手・宮城・福島)を除く44都道府県で地上デジタル放送に移行した。翌年3月31日には東北3県でも地上アナログ放送が終了し、地デジへと完全移行した。

5月31日、東京タワーはテレビ放送の電波送信を終え、その役目が東京スカイツリーにバトンタッチされた。それより一足早い5月22日に開業した東京スカイツリーは、東京の新たなシンボルとなり、今や年間400万人もの人が訪れる。

ここでしか目にできない日本一の眺望に、多くの人が驚嘆する。一方で、遠くからスカイツリーに思いを馳せる人もいる——。

最強の鉄板を曲げ続けたプレス職人の村野一秀。妻・恵子さんと一緒に、スカイツリーを見に行く日を楽しみにしていた。が、その約束は果たせなかった。村野が還暦を祝った翌年、恵子さんがくも膜下出血で倒れ、亡くなった。60歳だった。

「それまで頑張ろう言うてて、その明くる年やからなあ……」

村野は、スカイツリーを見に行くのをやめた。代わりに自宅の仏壇から見える場所にスカイツリーのポスターを貼った。恵子さんも大好きだったビールを仏壇に供え、2人で飲みながらスカイツリーの姿を眺めている。

スカイツリー建設の総責任者を務めた鳥居茂の妻・絞子さんは、病に冒されながらも現場に行きたがる夫の姿を、今も鮮明に覚えている。

「やり遂げたいという気持ちが強かったんでしょうね。手術をして長期間休むという選択をしないで、治療に半日通って職場に半日出るっていうことをやってましたから」

朝起きると、夫はいない。その寂しさに負けまいと、絞子さんはウォーキングを始めた。通るのはいつもの江戸川の土手。葬儀の日に夫を送った道である。

「この道を歩くと、工事中のスカイツリーがよく見えて、日に日に高くなっていくのが見えたんですよ。『世界一の高いタワーをつくるんだ』って言っていたのを、最初は私も『大げさなんじゃないの』って聞いていたんですけど、あれは全部本当だったんだなって」

ウォーキングに出掛けるとき、絞子さんのポケットには亡き夫の写真があった。

「歩きながら、ときどき立ち止まっては写真を取り出して、『見える? ここまでできているよ』って、言葉を掛けていました。スカイツリーは、あの人の誇りですからね」

仕事とお酒が大好きだった夫に、部下たちが立派に建てたスカイツリーの姿を、今も絞子さんは江戸川の土手を歩くたびに見せている。

延べ58万人が成し遂げた天空の大工事。美しく映える雅なタワーには、それぞれの思いを胸に携わった、熱き人々の誇りが刻まれている。

II 弱小タッグが世界を変えた
——カメラ付き携帯 反骨の逆転劇

2003年、成田空港に到着したサッカー選手を出迎える人々。多くの人がカメラ付き携帯を構えている（写真：ロイター/アフロ）

1　崖っぷちの弱小連合

世界を一変させることになる製品

今からおよそ四半世紀前、２０００（平成12）年の日本で生まれた一つの発明品が、世界中の風景を一変させた。背面にカメラを内蔵し、撮影した写真をメールで送ることができる携帯電話。世界初の製品だった。

ささやかな日常を携帯電話で撮影し、瞬時に誰かと共有する。人々はたちまち夢中になり、大ヒット製品となった。街中で自撮りをする若者、子どもが公園で遊ぶ姿を撮影する親たち、イルミネーションを撮影する人々――今や当たり前となった光景は、全てここから始まった。

開発したのは、「弱小連合」とも呼ばれた2つの企業だった。

「繋(つな)がらない電話会社」と揶揄(やゆ)されていたＪ‐ＰＨＯＮＥ。先行するライバルに大きく後れを取り、打開策が求められていた。高い技術開発力を誇りながらも、携帯電話市場に出遅れていたシャープ。事業部そのものが存続の危機に立たされていた。

いずれの会社も、当時の携帯電話事業で辛酸(しんさん)を舐(な)めるような思いをしていた。だが、開発に携わった社員たちは決して腐ることなく、自分を信じて、ただひたむきに仕事を続けていた。

カメラ付き携帯のアイデアを生んだ男は、退路を断(た)って、敢然(かんぜん)と開発にかけた。そのアイデアを形にした男には、苦節15年にも及ぶ、不屈の過去があった。

崖っぷちに追い込まれた者たちによる世紀の開発物語。これは、反骨のエンジニアたちが成し遂げた、執念の逆転劇である。

最後尾からのスタート

１９７０（昭和45）年に開催された大阪万博。日本電信電話公社（現・ＮＴＴ）が運営する電気通信館に、多くの人が行列を作っていた。

お目当ては、ワイヤレステレホン。電話線のない、持ち運べる電話である。万博の展示室に訪れた人々は、未来の電話を自由に手に取り、全国どこへでも電話をかけることができた。いつどこにいても、遠く離れた誰かの声を聞くことができる。携帯電話は、まさに夢の技術だった。

その夢の技術は、20年も経たずに、人々の手が届くものとなる。

1980年代後半、日本は新たな通信の時代に突入した。1985（昭和60）年、通信の自由化により、電気通信事業への新規参入が可能になると、従来から携帯電話サービスを提供していたNTTを追って、1988（昭和63）年に日本移動通信（IDO）が、その翌年にはDDIセルラーグループが、それぞれ携帯電話サービスを開始する。端末は手のひらサイズに小型化され、利用料金も低廉化が進んでいた。誰もが電話を持ち運ぶことが当たり前の時代がすぐそこに迫っていた。

1991（平成3）年、とある携帯電話会社の設立が発表された。東京・市ヶ谷の雑居ビルで創業した東京デジタルホン、後のJ‐PHONEである。携帯電話事業の競争に出遅れ、最後尾からのスタートだった。

東京デジタルホンは、急成長する市場にあやかろうと、国鉄の鉄道通信インフラを引き継いだ日本テレコムを中心に、鉄鋼会社、自動車メーカーなどが出資して作られた。

100人ほどの社員は、大半が出資元の企業からの出向者。内実は急場で作った〝寄せ集めの会社〟だった。

トラブル対応に追われる日々

新会社が携帯電話サービスを開始したのは、設立から3年後、1994（平成6）年4月1日のことである。

だが、その直後からトラブルが相次いだ。8月には、契約している約3万台の携帯電話すべてが、5時間にわたって受信できなくなるという大規模な通信障害を起こした。異常に気付いたユーザーから、クレームや問い合わせの電話が殺到し、社内総出でお詫びする騒ぎになった。

トラブルが起きるたびに矢面（やおもて）に立たされたのは、携帯電話の端末を調達してきた端末課の面々だった。

創業間もない通信事業者は、アンテナを設置する場所を一から確保し、基地局を1局1局、何十万と設置していかなければならない。資金や人材の多くは、そうしたネットワークづくりに割かれることになる。そのため、通信事業者の花形ポジションといえば、基地局や、基地同士を繋ぐ交換機を扱う部署であり、川下に当たる端末課は末席ともいえる部署だった。

携帯電話のトラブルは、端末とは関係がなく、ネットワークなどに原因がある場合も少なくない。しかし、一般ユーザーの目に見えるのは、電波やシステムではなく、自分の手元にある端末である。障害が発生した際に、端末にクレームが集中するのもやむないことだった。

「大事な時に電話が繋がらなくて損をした。どうしてくれるんだ！」

怒り心頭のユーザーが後を絶たなかった。端末課のメンバーは、菓子折持参で訪ね、話を聞き、頭を下げる日々を続けた。

素人集団の端末課3人組

この時、端末課に集まっていた3人は、通信とは畑違いの業界から来た、全くの素人集団だった。

太田洋(おおたひろし)は、大学の海洋資源学部を卒業後、工事現場の地盤調査、石油探査の技術開発職を経て、新日鐵でエンジニアとして働いていた。地盤調査をしていた時代は、ダイナマイトを背負って、年間300日近く現場から現場へと渡り歩いていたこともある。ガッツはあるが通信のことなど分かるはずもない。東京デジタルホンへの出向が決まった際も、そこで自分が何をするのか、知らされていなかった。

トヨタ自動車から来た北村敏和(きたむらとしかず)は、出向を命じられる少し前、入社以来携わっていたプロジェクトが解散となり、いわば社内失職の状態にあった。その矢先に舞い込んできたのが、出向の辞令だった。

「急に『東京デジタルホンという会社に出向してもらうことになったから』と言われて。何の会社なのか全く分かっていなかったんですけど、独身で身軽だったし、本当に軽いノリで『分かりました』と返事をしました」

一方、東京デジタルホンへの出向に密かな希望を抱いていた者もいた。自動車メーカーのマツダから来た高尾慶二(たかおけいじ)である。高尾は地元の高専を卒業後、大学、大学院と電気工学を学び、マツダに入社した。機械系の技術者が大半を占める自動車メーカーでは少数派の電気系エンジニアとして、走行中の自動車の衛星通信技術に関する研究開発に没頭していた。

マツダは社員3万人を抱える大企業である。そこからたった100人の会社への出向を

〝左遷〟と見る向きもあった。しかし、高尾の思いは違った。

「自分の中では左遷的な意味合いはなかった。携帯電話という道具をもらって、これがめちゃくちゃ面白かった」

大企業では歯車の一つに過ぎない自分も、出向先では誇れる仕事ができるかもしれない。そんな期待もあった。通信技術に大きな可能性を感じていた高尾にとって、携帯電話会社への出向は、自動車メーカーでは知り得ないノウハウを吸収する絶好のチャンスだった。

新参者に立ちはだかる壁

だが、現実は思いのほか厳しかった。

開業時、後発の東京デジタルホンに割り当てられた周波数帯は1・5GHz帯。先行する大手の800MHz帯に比べると、障害物に弱く、屋内やビルの陰では電波が届きにくい。その結果、「あそこの電話は切れる」「繋がりにくい」という、携帯電話会社としては致命的なレッテルが貼られてしまった。市場の8〜9割は大手で占められ、新参の東京デジタルホンのシェアはわずか数%にすぎなかった。

端末を作るメーカーも、大手にがっちりと押さえられていた。当時、国内の携帯電話は、1980年代後半にNTTが開発したPDCという通信規格を使って作られていた。新しい機種を開発するには、PDCの標準書を理解し、それに則って進める必要がある。ところが、開発に必要な情報の全てが、標準書に網羅されているわけではなかった。

「標準書の情報は、実際に端末を開発するのに必要な情報の10分の1ぐらいじゃないか、ってよく冗談で言っていました。見えない部分の情報を得るのは苦労しましたね」

太田が語るように、実際の端末開発では、文字化されていない情報やノウハウが不可欠だった。それを持っているのは、NTTドコモの端末を作ってきたNEC、パナソニック、富士通などの大手メーカー。しかし、そうしたメーカーにとって、後発でシェア最下位だった東京デジタルホンの優先度は低く、共同開発を依頼しても応じてもらえない。新しい機種を開発するどころか、型落ちの機種を薦められることが多かった。

北村は、そんな状況が悔しくて仕方がなかった。

「まずドコモさんで売って、良かったものをデジタルホンさんにもお裾分けします。そんな感じでしたよ。二番煎じにしかならないのが本当にふがいないし、怒りのぶつけどころもなかった」

溜まったストレスを発散するため、端末課のメンバーは、深夜のゲームセンターに通い詰めるのが日課になった。仕事でくたくたになって、みんなでゲームセンターへ行き、当時流行していた格闘ゲームで憂さを晴らし、終電で帰る。そんな日々が続いた。

父から学んだものづくりの精神

高尾は、このまま終わりたくなかった。

高尾という人物のベースには、ものづくりの精神があった。その原点は、故郷で過ごした家族との日々にある。

高尾が生まれたのは、長崎県大瀬戸町（現・西海市）。晴れた日には五島列島を望める、海沿いの自然豊かな環境で育った。決して裕福ではない暮らしの中で、鍛冶屋を営んでいた父・龍一は「物がないなら作ればいい」と、どんなものでも自分で作った。稲を田んぼから運ぶ機械も、縄を編む機械も、自ら設計して手作りした。そんな父の背中を見て、高尾は成長した。

中学生になったある日、高尾は、海に向かって空を飛ぶ夢を見た。「何か作って飛んでみたい」。そう思い立って、ハンググライダーを作りたいと父に相談した。

「材料は山に生えている竹を自分で切るなりして用意しなさい。縄は細い方がいいだろうから編んであげる。なたやのこぎりはここにあるものを使いなさい」

父はそう言って必要な情報を与え、息子がやりたいことを否定することなく、温かく見守ってくれた。

「おやじは、道具がなければ作ればいい、材料がなければ何かで代用すればいいと考える人でした。今振り返ると、ないから諦めるんじゃなくて、想像を膨らませることで実現できるんだ、ということを教えてくれていたんだと思います」

高尾少年は、完成したハンググライダーを自宅近くの斜面で試してみた。一瞬ふわっと浮いたように思えたが、空を飛ぶにはほど遠かった。だが、ハンググライダーを作っている間に味わった、新しいものを生みだす高揚感は高尾を魅了した。自分のアイデアが形になり、たとえ失敗しても結果から学んでステップアップしていくことの面白さは、高尾がその後歩むものづくりの道の原体験となった。

高尾だけでなく、端末課のメンバーには新しいことに挑戦したいという強い思いが共通していた。大手キャリアに追いつき、追い越したかった。勝てないから諦めようとは思わなかった。

そのころの自分たちを、端末課の面々は口をそろえて「動物園みたいだった」と笑う。トレンドに敏感で楽しいもの好きなリーダー格の太田。冗談が好きでみんなを笑わせていた北村。真面目で芯が強い高尾。それぞれ性格も発想も違えば、バックグラウンドも歩んできたキャリアも違う。ライオンもいれば、キリンもいれば、ゾウもいる。個性のかたまり同士が一つの檻(おり)に集まり、同じ方向を向いていた。

新しい端末作りへ

開業から数年が経っても、加入者は伸び悩み、東京デジタルホンの苦戦は続いていた。そんな中、社内で新たなサービスの準備が進んでいた。携帯電話で文字のメッセージをやり取りするサービスである。

1990年代半ば、若い世代のコミュニケーションツールの代表格といえば、ポケベルだった。ポケベルは、受信したメッセージを表示することはできるが、送信機能はない。そのため、街中の公衆電話には〝ベル友〟にメッセージを送ろうと、高校生が列を作っていた。

携帯電話から文字を送受信できるようになれば、その手間はなくなる。しかも、若者に文字通信の文化が根付いたことで、携帯端末を使ったメッセージの送受信には、将来的なニーズも期待できた。東京デジタルホンの狙いは明確だった。

1997（平成9）年、携帯電話単体でメールを送受信できる「スカイウォーカー」のサービスが始まり、目論見通り、若い世代を中心に人気を博した。この年から、デジタルホングループは「J‐PHONE」をブランド名として使い始め、スカイウォーカーが評判になったことで「メールのJ‐PHONE」と呼ばれるようになった。とはいえ、いまだシェアは10％にも届かず、先行する2社には遠く及ばない。

時を同じくして、新しい端末作りに苦しんでいた高尾の脳裏（のうり）には、一つのアイデアが浮かんでいた。スカイウォーカーのような非音声系サービスをさらに充実させ、メールの利便性を高めるには、画面に表示できる文字数をもっと増やさなければならない。そのためには大きな液晶が必要になる。

ある日、ある端末メーカーの営業マンが、高尾の前で言葉をこぼした。

「高尾さん、このままだと、うちは携帯事業から撤退せざるを得ない状況なんです」

そのメーカーとは、当時J‐PHONEと付き合いのある端末メーカーの中で、最も売上高が低かったシャープである。

「ちょっと待って」

高尾は驚いた。高尾は、高専時代にシャープの天理工場を見学した時のことを鮮明に覚えていた。当時すでにシャープは高い液晶技術を持ち、壁掛けテレビの研究開発が進められていた。液晶技術だけでなく、小型携帯情報端末・ザウルスを生み出した発想力やデジタル技術もある。これからのJ‐PHONEが求める技術を持っているメーカーは、ほかでもないシャープだと考えていた。

「J‐PHONEとシャープが手を組めば、もっと売れる端末ができる。事業撤退はもったいない」

そう直感した高尾は、シャープに端末の共同開発を持ちかけた。

弱小タッグ誕生

実際、当時シャープの携帯電話事業は存続の瀬戸際にあった。

シャープの携帯電話事業は、1993（平成5）年にパーソナル通信事業部を発足させたことに始まる。それまでPHSを軸に業績を伸ばしていたこともあり、携帯電話市場への参入が遅れ、大手メーカーでは最後尾からのスタートだった。しかも、家電ブランドであるシャープには、携帯電話開発の技術力やノウハウが足りず、代名詞でもある液晶技術も、携帯電話端末では生かし切れていなかった。畢竟、通信キャリアとの関係構築にも出遅れていた。

　販売実績は伸び悩み、思うように利益が上がらない。新たな機種を開発する予算も捻出できない。ヒト・モノ・カネの全てが足りなかった。

　事業部を率いる山下晃司と植松丈夫は、80人の部下を抱え、追い込まれていた。そんな折にＪ－ＰＨＯＮＥから舞い込んできた端末共同開発の打診。渡りに船と飛びついてもおかしくない状況だったが、植松は冷静だった。

「すでに携帯電話では何度も苦汁をなめていました。だから、すぐにやろうということにはならなかった。まずは話を聞いてみよう、というニュートラルな気持ちでした」

　植松は、事業部がある広島から東京のＪ－ＰＨＯＮＥを訪ね、高尾たちの提案を聞くことにした。高尾の提案は非常に具体的で、リアリティがあるように思えた。だが、これまでシャープは、通信キャリアと端末を共同開発した経験はない。果たしてこの提案がうまくいくのかも分からない。それでも答えは一つだった。「やるしかない」。

「今まで何度トライしてもうまくいかなかった。でもこの共同開発がうまくいけば、携帯電話の世界で、ようやく我々もステイタスを確立できるんじゃないか。そう思いました」

八方塞がりだった事業部にとって、その決断はまさに「背水の陣だった」と山下は振り返る。新しい機種を2つも3つも開発するだけの予算もなければ、リソースもない。もし失敗したら、いよいよ事業部の存続が危うい。

ただ、最後発で最後尾のシャープには、失敗しても失うものがなかった。なにより山下は、J-PHONEが、端末メーカーの中でも弱小のシャープを選んでくれたことがうれしかった。通常、端末開発の主導権は通信キャリアにあり、メーカーの立場は弱い。しかしJ-PHONEの提案は「共同開発」だった。端末の仕様や戦略を一緒に考え、お互いが対等な立場で話し合うことができる。キャリアの指示通りにものをつくるより、面白いことができると思った。

業界最後発同士の共同開発は、失敗に終わる可能性も十分考えられた。しかしこの時、高尾にも植松にも、未来が〝見えて〟いた。

「普通なら、弱小と弱小が組んでも何も起こらないと考えるかもしれませんが、私には見える景色があった。だから組みたいと強く思いました」(高尾)

「お互い最後発ですが、それぞれ長所がある。J-PHONEは型にはまらない斬新なサービスに積極的で勢いがありました。シャープは家電で培った技術やノウハウがあり、液晶やカメラの部品力に長けていた。その2社が融合することで、新しい世界が広がったんだと思います」（植松）

両社が目指したのは、液晶を前面に押し出し、ポケベルよりも長いメールを送ることができる携帯電話。このアイデアが、後にカメラ付き携帯電話に発展することになる。

伸び悩む電話会社と、端末メーカーの崖っぷち事業部。下剋上を狙う弱小連合は、こうして誕生した。

2 「撮って送れる」カメラ付き携帯電話

iモード革命の衝撃

1997（平成9）年、J-PHONEとシャープによる携帯電話端末の共同開発が始まった。その翌年には、共同開発1号機となるJ-SH01を発表。大きな液晶画面に、当時最多の48文字を表示できることが話題になり、シャープの端末としては初のヒットを記録した。

しかし、喜びもつかの間、端末の内部で基板から部品が剝がれ落ちる故障が相次ぎ、生産ラインを止める騒ぎが起こる。東京に出張中だった山下は、駅のホームで上司から電話を受け、トラブルを知った。

「どやされましたよ。大変なことになってる、どないなっとんや！ って」

故障が起きた要因は、ユーザーが端末をどのように扱うかという理解が不足していたことにあった。例えば、ポケットに端末を入れたまま座る場合など、強い物理的ストレスに耐えうる設計や技術の蓄積がシャープにはなかった。新しい技術を盛り込みながら短期間で開発したひずみが、故障という形で現れてしまった。

さらに、1999（平成11）年1月、衝撃的なニュースが飛び込んできた。業界最大手のNTTドコモが、携帯電話だけでインターネットにアクセスできる世界初のサービス「iモード」を発表したのだ。

iモードの登場は、携帯電話に革命的な変化をもたらした。ニュース、天気予報、株価情報、モバイルバンキングなど、iモード向けのコンテンツが次々に登場し、ユーザーはいつどこにいても、携帯電話さえあればインターネット経由でさまざまなサービスが利用できるようになった。発表からわずか半年で、１００万人のユーザーがＮＴＴドコモに殺到した。Ｊ‐ＰＨＯＮＥには解約の申し出が相次いだ。

「やられた」と太田は思った。実はＪ‐ＰＨＯＮＥも同じようなサービスを開始すべく準備を進めていたのだが、先を越された。それだけではない。すぐには真似できないと頭を抱えたのは、ｉモードでドコモが導入したパケット通信だった。

パケット通信とは、通信データを一定の長さのパケットに分割して送受信する通信方法をいう。通常、携帯電話のような無線通信にはノイズが入りやすいが、パケット通信はエラーが起きたパケットだけを再送できるので、効率的にデータ通信を行うことができる。しかし、当時のＪ‐ＰＨＯＮＥには、パケット通信に投資する余裕はなかった。ＮＴＴドコモの資本力、社会への影響力、加入者数を考えれば、ｉモードは脅威以外の何物でもなかった。

退路を断って新機種開発へ

悔しかったのは、端末開発の責任者になっていた高尾も同じだった。

一人のエンジニアとしては、ｉモードの技術に感服せざるをえない。しかし、非音声系サービスにＪ-ＰＨＯＮＥの活路を見出していた身としては、ウェブサービスでｉモードに先を越されたのは痛恨の極みだった。

ヒト・モノ・カネの全てを持つドコモと、ないないづくしのＪ-ＰＨＯＮＥ。同じ土俵で戦っても勝算は低い。ｉモードとは違う場所で戦わなければならない。何をすればいいのか――。高尾は悶々としていた。

解約率の上昇に焦ったＪ-ＰＨＯＮＥの上層部は、悩みを深める高尾に対して、彼の考えとは真逆の指示を出した。「大手を真似た端末を開発してはどうか」というのだ。

「当時、ドコモとＩＤＯ・セルラーグループ（後のａｕ）が、音楽プレーヤー機能付きの端末を出すという噂がありました。だから『お前も作れ』って言われたんですよ。でも、違う。何かが違う」

高尾は、自分たちの最大の強みは「メールのＪ-ＰＨＯＮＥ」であることだと踏んでいた。音楽プレーヤー付き端末は、その強みとまるで結びつかない。違う。端末課の同僚には真面目なサラリーマンタイプと評されていた高尾だが、「他社を真似ろ」という上からの指示は一切聞かず、馬耳東風と受け流した。

この時、高尾はすでに出向者の立場ではなくなっている。出向期間が終了した後はマツダに戻る予定だったが、そうはしなかったのだ。

携帯電話会社への出向が決まった時、高尾は通信の専門的な技術やノウハウを学び、マツダに持ち帰るつもりでいた。しかし、東京デジタルホンでの仕事は、高尾を想像以上にワクワクさせるものだった。マツダでは、製品のほんの一部分にしか関わることができないが、端末課ではユーザーに喜ばれる端末のスペックを考え、ものを作り、届けることができる。しかも、新車の開発スパンに比べると、携帯電話の開発スパンは1年と短い。ユーザーにダイレクトに繋がるものを、次々と生み出せる携帯電話の仕事に、高尾はすっかり魅了されていた。

マツダに戻るか、J-PHONEに残るか。同じ端末課の太田や北村に相談したことがあった。話を聞いていた太田は、こんな言葉を返してきた。

「高尾君さ、残る前提で話してるじゃん」

その言葉で自分の本意に気付いた高尾は、腹をくくった。安定した自動車メーカーを辞め、業界最下位で、いつ潰れるか分からない携帯電話会社で働く。1996（平成8）年春、高尾は退路を断って、新機種開発への思いを新たにしていた。

ロープウェイでのひらめき

iモードにいかに対抗するか。「メールのＪ‐ＰＨＯＮＥ」の進化形とは何か。高尾は逆転のアイデアを考え続けていた。

ある週末、両親が初めて長崎から東京に遊びに来ることになった。せっかくだから、と家族で1泊2日の箱根旅行に出かけ、駒ヶ岳(こまがたけ)山頂に向かうロープウェイに乗り込んだ時のことだった。

ロープウェイの中で、高尾は景色を楽しむ両親をビデオカメラで撮影していた。徐々に高度が上がり、箱根の尾根から富士山が少しずつ姿を現す。天気にも恵まれ、目の前に広がる大パノラマはまさに絶景だった。初めての風景に感動している両親の表情をカメラに収めていると、すぐそばで「ピッ、ピッ、ピッ」という聞き慣れた電子音がした。携帯電話のボタンを押す音だ。

携帯電話の利用者がいると、自然と目が行ってしまう。高尾の職業病だった。何気なく音がする方を見ると、Ｊ‐ＰＨＯＮＥのロゴが付いた携帯電話を手にした一人の女性が、懸命に何か文字を打ち込んでいた。なぜこの女性は、絶景を前に文字を打ち続けるのだろうか。もやもやとした違和感が、高尾の中で膨らんでいった。

その答えは、突然降りてきた。

「あの人は、素晴らしい風景を見たことを、誰かに伝えようとしていたんじゃないか。絶景を見て感じた感動を、別の場所にいる誰かにメールで送って共有しようとしていたんじゃないか」

高尾の脳裏に古い記憶がよみがえった。学生時代、妻の晴美（はるみ）と遠距離恋愛をしていた時の思い出だ。夜の公衆電話で数千円分の100円玉を積み上げ、時間を忘れて話をした。いくら話してももの足りなくて、次の日の朝、新幹線に飛び乗って、愛知から晴美がいる長崎まで会いにいったこともある。声を聞くだけより、顔を見ることで生まれる幸せがあった。

「必要なのは、カメラだ」

iモードの登場から1年にわたって悩み続けた高尾に、光が差した瞬間だった。

重要なのは、単に「撮る」だけでなく、「撮って送る」ことだった。そこに、携帯電話にカメラを付ける最大の意義があると高尾は考えた。

携帯電話で写真を撮って送ることができれば、ロープウェイの女性は、遠く離れた場所にいる誰かと感動をよりリアルに共有することができただろう。遠距離恋愛中だった自分たちも、写真でお互いの顔を見られたら、会えない寂しさを和らげることができた。しかも、現像やプリントに時間を取られるフィルムカメラとは違い、リアルタイムで画像を送れる携帯電話なら、感動の鮮度も損なわれない。

「そういえば」と思い出したのは、いつものように終電で自宅に帰り、一人で夕食を食べながら見ていた深夜のバラエティ番組だった。女子高校生の持ち物をチェックするコーナーで、携帯電話、音楽プレーヤー、使い捨てカメラが〝三種の神器〟と言われていた。

3つのうち2つが1つの製品になれば、若者はきっと反応する——。高尾の頭の中で、ロープウェイの女性、遠距離恋愛、女子高生の〝三種の神器〟が1つに繋がった瞬間だった。

「絶対に大きさを変えずに、カメラを入れ込んでほしい」

iモードのようなサービスでもなければ、音楽プレーヤーでもない。写真を撮って送れる携帯電話こそが「メールのＪ-ＰＨＯＮＥ」の進化形であり、新しい武器になる。それこそが、高尾がたどり着いた答えだった。

ところが、カメラ付き携帯電話という高尾のアイデアは、役員会で猛反対にあう。反対されるのには理由があった。

実はこの年、カメラ付き携帯電話に似た端末が、すでに2つ発売されていた。京セラが開発したカメラ付きPHSと、ケーブルで携帯電話に接続して使う三菱電機製の外付けカメラだ。だが、どちらも売れ行きは芳(かんば)しくなかった。各メーカーが端末の小型軽量化でしのぎを削る中、カメラを内蔵すると、どうしても端末のサイズが大きくなってしまう。カメラを付けても売れないと上層部が考えるのも、無理はなかった。

それでも高尾は譲らなかった。「必ず小さくしてみせます」と啖呵(たんか)を切って、なんとかゴーサインを取り付けた。しかし、メーカー2社に開発を打診してみても、「先に出た2機種が売れていないから」と立て続けに断られてしまう。

そんな時、高尾のもとに、広島から新しい端末の企画書を携えて、シャープの植松がやってきた。2000(平成12)年春のことだった。

「次はこんな機種を考えているんです」

そう言って植松が差し出したモックアップ(模型)を見て、高尾は驚いた。そこにはカメラが付いていた。

「同じ事を考えている人たちがいて、すごく嬉しかったですね。やっぱりシャープさんと組んだ自分の判断は間違ってなかったんだと思いました」

その瞬間の驚きと喜びを、高尾は今でも覚えている。しかし喜んだのは一瞬で、その場ですぐに植松にこう頼み込んだ。

「絶対に大きさを変えずに、カメラを入れ込んでほしい」

無理難題でもやるしかない

シャープは、J-PHONEと共同開発した2つ目の端末に、カラー液晶を搭載していた。カメラ付き携帯電話は、そのカラー液晶を生かす次の一手としてたどり着いたアイデアだった。小型カメラを内蔵した携帯情報端末をすでに商品化していたこともあり、開発する自信はあった。

しかし、「絶対に大きさを変えずに」となると、話は別だ。

「無理だ」

高尾の依頼を聞いた山下は、頭の中で即答した。携帯電話はすでに極限までコンパクトになっている。いくら小型のカメラモジュールでも、入る隙間などあるはずがない。

それでも入れようとするなら、部品の数を減らしたり、複数の部品を1つに集約したり、技術的なブレイクスルーが必要になる。言うは易しだが、それがどれほどの困難を伴うのか高尾は分かっていない。「人の苦労も知らないで」と、腹が立った。

しかし、腹を立てながらも、そうしなければ売れないということも、山下はよく分かっていた。カメラを外付けにすれば技術的には楽になるが、他社が出した外付けカメラは売れていなかった。

端末の売れ行きには、機能だけでなく見た目も大きく影響する。カメラ部分が張り出した不格好なデザインになったら、おそらく売れない。売れないものをいくら作っても仕方がない。

現行の携帯電話のサイズにカメラを収める方法を、どうにかして見つけるしかない――。山下は覚悟を決めた。

その難問を託せるのは誰だろうか。山下の頭には、一人の男の顔が浮かんでいた。

3　全てを託された反骨のエンジニア

変わり者のエンジニア

時は、カメラ付き携帯電話の開発から数年前にさかのぼる。その日、山下は所用を片付けるため、日曜の閑散とした会社にいた。

誰もいないはずのオフィスから、ガーガーとコピー機が動く音がした。そこにいたのは、専門書を抱えて一心不乱にコピーを取り続ける部下だった。山下は思わず声を掛けた。

「お前、なにやっとんや?」

「参考書や文献って高いんで、コピーしてるんです」

そう答えた男の名は宮内裕正(みやうちやすまさ)。のちに、カメラ付き携帯電話開発の命運を握ることになる人物だ。

宮内は、愛媛県で生まれ、地元の工業高校を卒業してシャープに入社した。工業高校に入ったのは、卒業後すぐ就職するのに有利だと思ったから。シャープを選んだのは、大手企業なら自立して生活できるだけの給料がすぐにもらえると思ったから。宮内は「ものづくりがしたいという気持ちは、別になかったですね」と当時のことを振り返る。

最初に配属されたのは、広島工場の生産管理部門だった。生産現場の裏方として、生産スケジュールや部品の管理、棚卸のチェックなどの事務仕事を淡々とこなす。そんな日々を3年ほど送った。

1985（昭和60）年、そんな宮内の横っ面を張るように、世界が動き始める。プラザ合意により、急速に円高ドル安が進行。輸出比率が6割を超えていたシャープの業績は、深刻な打撃を受けた。国内営業を強化するため、生産ラインで働いていた宮内と同世代の若手社員が、次々と営業部門へ配置転換されていく。慣れない営業の仕事に馴染(なじ)めず、退職を選ぶ人も少なくなかった。

次は自分かもしれない――。危機感を持った宮内は、会社で生き残るために自分に何が必要かを真剣に考えた。

「会社から給料という対価を得るためには、その会社にとって高い価値を提供できる存在でなければならない。ものづくりの会社であるシャープで、最も高い価値を提供できる仕事は、研究開発職だ」

その日から、宮内は「研究所の開発職になること」を自分のゴールに設定した。

ゴールに向けて猛勉強する日々

ただ、ことはそれほど単純ではない。シャープという大企業で、一社員の異動の希望がすんなり通るはずはない。そもそも、宮内は事務職だ。技術職として働けるような知識も経験もない。

そこで宮内が目を付けたのは、若手が営業に異動し、人手不足になっていた製造現場だった。今なら希望が通りやすいに違いないと、志願して生産部に移り、生産ラインで働きながら独学で猛勉強を始めた。大嫌いだった高校数学を一からやり直し、電気回路や高周波、固体物理学、電磁気学に至るまで、寝る間も惜しんで勉強した。専門書を図書館で借りては、こっそり会社でコピーを取った。

本を読むだけでは分からないので、ノートに整理しながら理解した。理解できたら実験してデータを取り、自分の理解と異なる結果が出ると、また専門書を探して読み込んだ。

手書きの数式が整然と並ぶ勉強ノートは、50冊を超えた。

それだけではない。知識が身に付くと、所属部署の課長や部長、さらに総務部長、労働組合の委員長のところにまで押しかけて、学んだことをアピールして異動を直訴（じきそ）した。どこへ行っても答えはノーだった。しかし、さらに勉強して知識の範囲を広げ、また直訴した。いくら煙たがられても、数か月おきにそれを繰り返した。

昼休みに工場の廃材を使って黙々と実験をする宮内の姿は、端（はた）から見れば「変わり者」に思えただろう。しかし宮内は、周りのことなど気にすることなく、自ら決めたゴールに向かって努力を続け、道なき道を切り開いた。

そして、8年かけて音響研究所（当時）の開発職を勝ち取ってみせた。

上司に反抗する、後輩思いの男

山下は、家庭用コードレス電話を開発する緊急プロジェクトで、研究所から期間限定で加わっていた宮内と初めて一緒に仕事をした。休日に会社で専門書をコピーしている宮内の姿を見たのは、そのころのことだ。

「500枚の包みを2つだから、1000枚ぐらいのコピー用紙を持っていった。それが非常に印象的でした。努力家で頼もしいと思いましたよ」
当時を思い出しながら、山下は苦笑してこう続けた。「まあ、性格的にはちょっと変わってるけど」。

宮内は、上司の山下にもずけずけと意見してくる男だった。お世辞は言わない。山下が「こうしたらどうや」とアドバイスすると、「そうじゃない」と反論してくる。ただ反抗しているだけのように見えて、理由を聞いてみると、きちんと筋（すじ）が通っていた。

「あまりこちらの言うことは聞かないですわ。そこが良いところなんですよ、ちゃんと反対意見を言ってくれるのはありがたいから」

そんな宮内を、山下は不振が続くパーソナル通信事業部にスカウトした。その時すでに宮内の技術力は「職場でピカイチだった」と後輩の菅沼俊夫（すがぬまとしお）は振り返る。

「生産現場からオーディオの研究所に行って、パーソナル（通信事業部）。そんな経歴の人はあまりいないので不思議でした。後になって、宮内さんにどうしても技術職に就きたくて勉強して直訴したって話を聞いて、そういうことか、なるほど私はとてもかなわないなと思いました」

菅沼がよく覚えているのは、宮内が出していた「宿題」だ。週末になると、宮内は後輩たちのために電磁気学の問題を出し、それを月曜までに解いてくるのが常だった。昼休みや休日には、自主的な勉強会を開き、後輩の成長をサポートしていた。宮内は正解をすぐに教えてはくれないが、後輩たちが一生懸命考えていると、ボソッとひと言ヒントを出してくれた。

「教え方は厳しかったです。でも、みんな宮内さんみたいになりたいと思ってやっていました」

最後発だからこそ面白い

カメラ付き携帯電話の開発という難題を前に、山下が真っ先に思い浮かべたのは、宮内の顔だった。

現行の端末をベースに、大きさ、重さ、形を変えずにカメラを入れ込む。そんな新しいチャレンジを成功させるには、過去にとらわれない独創性が必要だった。上司である自分に「ああしたい」「こうしたい」といつも提案してくる宮内には、誰よりも豊かな想像力とアイデアがある。10年以上独学で勉強を続けるほどの努力家で、物事を途中で投げ出すことはない。もちろん高い技術力もある。

「宮内に託してみよう」

山下は腹をくくった。

山下に「やってくれ」と言われた宮内は、二つ返事で引き受けた。その理由を語る言葉に、宮内の人となりがよく表れている。

「最後発から全部抜いて一番になったら、面白くないですか？　シャープがシェア1位だったら、私は魅力を感じていないと思います。人がやったことを真似するの、嫌いなんです。面白くないじゃないですか。それに、好きにやれるんじゃないかと思いました。だって最後発なんだから。失敗してもこれ以上悪くならないでしょ？」

宮内には、カメラ付き携帯電話が、他社に真似される商品になるだろうという直感があった。シャープの創業者・早川徳次(はやかわとくじ)は「他社がまねするような商品をつくれ」という言葉を残した。まさにそんな仕事ができる。面白そうじゃないか。失敗したからといって命まで取られることはない。プレッシャーは、ほとんど感じなかった。

実は宮内は、部品の脱落でリコール騒ぎになったJ‐SH01の設計を担当していた。J‐PHONEやエンドユーザーに迷惑をかけたことを申し訳なく思いながら、この失敗の損失は、これから開発する機種で利益を上げ、何倍にもして取り返そうと考えていた。

「リスクを取らなければ失敗しないが、新しい価値も生まれない。うまくいかなかったことからいかに学ぶかが重要」

座学と実験のサイクルを回し、独学で学んできた宮内の〝失敗の哲学〟だった。

基板を折りたたむという秘策

具体的に、どうやって携帯電話の中にカメラを収めるのか。当時のシャープには、奈良工場が開発した超小型カメラがあった。しかし、それでも直径が1センチあり、端末に収めることはできない。

宮内には秘策があった。それがフレキシブル基板だ。

電子部品を取り付ける基板には、大きく分けて、リジッド基板とフレキシブル基板の2種類がある。リジッド基板が板のように硬質の素材であるのに対し、フレキシブル基板はプラスチックフィルムを使っているため、薄く、軽く、柔らかい。

それまで、シャープの携帯電話には硬質の基板が使われていた。カメラを搭載することになれば、必然的にこれまでより電子部品の数が増える。その全てを硬質基板の上に並べようとすれば、基板そのものを大きくせざるを得ず、現行の携帯電話のサイズには収まらなくなる。宮内の秘策とは、硬質基板の上に平面的に配置されていた電子部品を、薄くて柔らかいフレキシブル基板の両面に載せ、その基板を折紙のようにたたんで、立体的に入れ込もうというものだった。

宮内には、過去にフレキシブル基板を扱った経験があった。研究所時代、担当していたオーディオ機器の部品に使われていたのだ。部品を取り付けた基板を折りたたむという発想は、その柔らかさを体感していた宮内だからこそ生まれたものだった。

とはいえ、決して簡単な設計ではない。狭い空間に多くの部品を収めるためには、オーディオ機器で使っていた片面構造のフレキシブル基板ではなく、電気を通す導体層と絶縁層がミルフィーユ状に重なった「多層フレキシブル基板」を使う必要がある。配線はより複雑になり、設計の難度も格段に高い。また、フレキシブル基板に精細な加工をする技術もそれほど確立されておらず、部品が付いた基板をコンパクトにたたんで隙間に入れ込むとなると、過去に例がない。

難しい仕事になることは目に見えていた。しかし、多層フレキシブル基板を使わなければゴールは見えない。やるしかない。宮内の胸に火がついた。

基板に並べる部品は、600以上。それを薄く小さな基板の上に収めきらなければならない。広島工場には、宮内が実験や試作をする際に使っている小さな部屋があった。そこにこもり、フレキシブル基板に電子部品を並べ、はんだ付けしてはやり直し、設計を決めていく。2か月後には、全ての部品と配線を見事に基板に収めてみせた。

ところが、まさかの事態が待っていた。試作品のカメラを起動すると、アンテナの感度が下がり、通信が途切れてしまうのだ。実用実験をしてみると、「通話が途中で切れる」「断線の恐れ」など、50以上の不具合が報告された。「繋がらない」と言われたJ-PHONEの悪夢がよみがえった。しかし、この端末のほかに切り札はない。生産開始日までに、不具合を全て潰さなければならない。

宮内は、再び試作室から出てこなくなった。発売を予定している年末商戦まで、残り3か月を切っていた。

4　起死回生の発明品は世界を変えた

宮内を信じて

2000（平成12）年の秋、広島。宮内は、エラーと戦い続けていた。電子回路の設計を見直しても、ノイズが消えない。試作室にこもる日々は続く。

東京では、J-PHONEの面々が総力戦で通信回線の整備を進めていた。カメラ付き携帯電話の肝は「撮って送る」ことにある。端末にカメラが付いても、それだけで写真を送ることはできない。写真という大きなデータを滞りなく送受信するためには、太い回線が不可欠だった。もし再び大規模な通信障害が起きれば、会社の致命傷になりかねない。ネットワークの強化は最重要課題となっていた。

高尾は、祈る思いで端末の完成を待っていた。カメラがきちんと収まるのか。撮影した写真の色合いをきれいに表示できるのか。不安は尽きない。難しい要求をしていることは承知の上で、山下を信じるしかなかった。

この時、高尾の盟友だった太田と北村は、すでに端末課を離れ、別々の部署で手腕を振るっていた。

太田はスカイウォーカーのサービスを立ち上げ、エンタテインメント系サービスの開発に取り組んでいた。北村は、一旦出向を終えてトヨタに戻ったものの、退職。J-PHONEに復帰して情報通信サービスの立ち上げに携わっていた。

北村は、出向から戻って同期で一番早く出世を果たしたが、トヨタでの仕事は「何かが違う」という感覚が拭えなかった。思い返せば、高尾や太田と働いたJ-PHONEでの日々には、目に見える形で会社に貢献する充実感があった。悩みに悩み、年収が下がってもJ-PHONEで働くことを選んだ。

大手を超えたいという熱い思いは、3人とも変わらなかった。以前と違って毎日顔を合わせることはなくなったが、それぞれの場所で奮闘していた。

ついに見つけた不具合の正体

試作室にこもって半年。宮内は不具合の正体にたどりついた。設計自体には問題はなかったが、狭い空間に高密度で電子部品を並べたことで、部品から出る電磁波が干渉し、アンテナの感度を劣化させていたのだ。

宮内は、電子部品の位置をもう一度修正し始めた。はんだごてを握り、薄くて柔らかなフレキシブル基板に、手加工で一つ一つ電子部品を取り付けていく。わずか1ミリ位置が違うだけで、ノイズの出方は変わった。部品だけでなく、接着剤に至るまであらゆる材質も見直した。完璧な配置を探り、これならと思う配置を設計データに落とし込む。試作品を作っては、さらに実験を重ねてノイズを消していった。

それは、決してモグラ叩きのように場当たり的なものではなかった。配線のパターンは無数にあるが、論理的に考えていけば、暴れる電波を抑え込む道筋は自ずと見えてくる。宮内には、それができた。その道筋を探るのに必要な知識とは、宮内が15年間懸命に学んできた、電気回路や高周波や電磁気学の知識だったからだ。実験を繰り返しながら身に付けた知識は、血となり肉となり宮内を支えた。

今までの全ては、この時のためだったのか。そう思えるほど、学んできたあらゆることが携帯電話の設計に繋がっていた。自分がやってきたことには意味があった。やってきてよかった。孤独な作業の中で、いつしか宮内はそう思うようになった。

15年間の成果を全て注ぎ込み、理詰めでエラーを潰していく。宮内がその人並み外れた力を持つことができた要因は、「学びの動機付け」にあったのではないかと、後輩の菅沼は考えている。

「宮内さんは、配線の設計やノイズの干渉の対策を、数式から論理的に導くことができるんです。知識を持っている人はたくさんいますが、それを仕事で起きる問題や設計に落とし込める人は、本当に少ない。仕事でこういうことが発生するかなとか、こういう場面に活かせるのかなとか、そういう想定をしながら勉強していたんじゃないかと思います。大学で単位を取るためとか、そういう動機付けだったら、あそこまで知識を自分のものにできないんじゃないか」

山下と植松は、宮内を信じて待っていた。生産開始までのタイムリミットは刻一刻と迫っていた。しかし、植松も山下も、宮内に「まだか」とも「早くしろ」とも言わなかった。部屋に様子を見に行くことさえしなかった。あれこれ口うるさく言うより、黙って任せた方が宮内のモチベーションが上がることを、山下はよく知っていた。

「言わなくても分かってますよ。言う必要はない、いらんことを。宮内はほっといてもやり遂げるという熱いものを持っている。いろんな責任がついて回るけど、『何かあったら、まあ、俺が尻拭いしてやるわ』と腹をくくりました」

もう無理だという周囲の雑音ははねつけ、宮内の耳には入れなかった。「それが仕事を任せた上司の責任だ」と山下は思っていた。

歴史に名を刻む大ヒットへ

生産開始前日、ついにその瞬間は訪れた。

「できた」

宮内がそうつぶやいた。ノイズの波は消え、50以上のエラーを全て潰しきった。

出来上がった携帯電話は、縦12・7センチ、横3・9センチ、厚さ1・7センチ、重さ約74グラム。半年前に発売された一つ前の機種と、サイズも重さもほぼ変わらない。凹凸のない滑らかな背面に11万画素のカメラを備えた携帯電話が、ついに完成した。

2000(平成12)年11月1日、世界初のカメラ付き携帯電話J‐SH04は、発売された。若い世代から人気に火が付き、わずか1年で300万台を売り上げた。他社も次々に後追いする大ヒット商品になり、J-PHONEは業界第2位に躍進した。

携帯電話で撮った写真をメールに添付して送るサービスは、翌年「写メール」と名付けられ、社会現象を巻き起こした。ほかの通信キャリアのユーザーも、携帯電話で写真を撮って送ることを「写メ」と呼ぶようになった。J-SH04の発売は、携帯電話や通信の歴史のみならず、日本語や文化にもその影響が刻まれる出来事となっていった。

発売後、かつて深夜のゲームセンターで憂さを晴らしていた端末課の面々は、祝杯を交わしてどん底だった日々を笑いあった。高尾には、仲間のほかにも開発の成功を一緒に喜びたい人がいた。ものづくりの楽しさを教えてくれた、故郷の父だ。

無事に発売され、売れ行きが好調であることを報告すると、父からこんなひと言が返ってきた。

「天狗(てんぐ)になるなよ」

その言葉を高尾は、父からの〝最大の褒め言葉〟として受け止めた。「天狗になるな」とは、裏を返せば「天狗になってもおかしくないくらい良いものを作った」ということでもあるからだ。

「おやじは基本的に照れ屋で、直接息子を褒めたりはしない人なんです。だからきっとこれも、私が作ったものに対する褒め言葉として、裏返しの意味で言ってくれたんだと思います。ものづくりをするおやじをずっと見てきましたから、その言葉を聞いて、認めてもらえた、同じ土俵に立てたと思えた。嬉しかったですね」

上司と部下の信頼関係

崖っぷちだったシャープのパーソナル通信事業部は、J‐SH04のヒットによって、一気に高収益の部署に躍進を遂げた。

背水の陣でJ‐PHONEとの共同開発を始めてから、約3年が経過していた。事業部廃止の危機から部下たちを守り抜いた山下の胸にあふれたのは、無理難題にしか思えなかった開発をやり遂げた宮内への感謝だった。

「宮内にはね、いろんな意味で助けられました、ほんとに。感謝以外のなにものでもないです」

ただ、それを宮内本人に直接伝えたことはない。宮内も、聞いた記憶はないという。上司と部下が、互いに自らの仕事と責任を全うした。2人にとっては、それだけのことだった。

成功の立役者となった宮内は、完成した時の感慨を問われると、拍子抜けするほどあっさりした答えを返した。

「やったね。はい次行くぞ、なあ宮内君。そんな感じです」

半年も一人で試作室にこもって苦労したというのに、感動で涙することも、達成感で高揚することもなかった。しかし、その反応にこそ、宮内の人生に通底するものづくりの精神がある。

「街中で作ったものが役に立っているのを見て『よかったね』。それで終わりなんですよ、実際。ゼロヨン（J-SH04）は通過点でしかない。まだまだ画質も悪かったし、写真の写りも悪かった。改善すべき点がものすごくありました。『やったぞ！』なんて思っていなかった」

完成はしたが、ゴールではない。次はもっと違うもの、もっとすごいものを作りたい。その思いは山下も同じだった。

「私にとって、ゼロヨンは問題提起の機種です。作ってみて、次に何をしなければならないかが明確になりました。ゼロヨンは終わりじゃなくて、始まりですよね」

発売から20年以上経って、山下はゼロヨンで写真を撮ってみた。撮った画像を液晶画面で確認してつい本音が出た。「ひどい画像やな」。何年経っても、懐かしさだけで携わった製品を見ることができないのは、技術者の宿命なのかもしれない。

新しい道への挑戦

Ｊ‐ＳＨ０４の開発から四半世紀が過ぎ、今や携帯電話のカメラ機能は世界標準になった。生涯忘れたくない特別な瞬間も、ささやかな当たり前の日常も、人々は携帯電話で撮影し、思い出を心とデータに刻んでいる。

カメラ付き携帯電話というツールと、目の前の感動を誰かと共有したいという思いは、ＳＮＳという新たなコミュニケーション文化を花開かせた。「繋がらない携帯電話会社」と揶揄されていたＪ‐ＰＨＯＮＥと、携帯電話市場に乗り遅れ事業部が存続の危機にあったシャープ。業界最後発同士の弱小連合が放った起死回生の一撃は、常識を変え、世界を変えた。

カメラ付き携帯電話が起こした大きな変化の波は、意外な角度からも高尾たちを襲った。発売の翌年、Ｊ‐ＰＨＯＮＥの企画力に目を付けたイギリスの通信会社ボーダフォンに、会社が買収されたのだ。その余波で、端末の新規開発は全て差し止めになった。新機種のアイデアがあってもアクションが起こせない。開発者として自分の存在価値を発揮できなくなったと感じた高尾は、敢然と会社を離れた。

高尾には、わずかな痛みとともに思い出す光景がある。会社が買収された後、ボーダフォンのCMに起用されたサッカー選手のデビッド・ベッカムが来日した時のことだ。空港の到着ロビーには、マスコミはもちろん大勢のファンが詰めかけていた。ベッカムが姿を見せた瞬間、人々は一斉に携帯電話を掲げ、写真を撮り始めた。マスコミのカメラの後ろに、無数の携帯電話のレンズが並ぶその光景は、それまでに見たことのないものだった。

この状況を作ったのは自分だ、やはり世の中を変えるものをつくったんだ——。高尾はそう思った。しかし、同時にわき上がってきたのは、「ゼロヨンを出さなければ、ボーダフォンに買収されることはなかったんじゃないか」というほろ苦い思いだった。人の行動と常識を変えたことを喜んでいる自分と、買収されたことを苦々しく思っている自分。その間を行き来したあの日の複雑な感情は、喉(のど)に刺さった小骨のように今も消えない。

ボーダフォンを退職した後、高尾は自ら起業し、現在は家族とともに日本酒造りや日本の優れた商品を世界に売り出す事業に挑んでいる。

「いちサラリーマンなんか何にもできないんだ、と言う人がいますけど、そうじゃない。

やろうという固い意思があれば扉は開く。自分の人生の舵を自分で切ることで、道は開けるように思います」

新しい道を歩み始めても、目標を持って突き進むことで扉は開かれるという信念は、端末課で仲間と奮闘していたあの頃から、変わることはない。

「好きに生きられるように、努力してきました」

シャープが最後発から携帯電話市場に参入して30年。隆盛を誇っていたほかの端末メーカーは、次々と市場から姿を消していった。しかし、シャープの携帯電話事業は、企業買収の荒波に飲み込まれながらも収益を上げ続け、今なお新製品をユーザーに届け続けている。

「１９９７年12月、共同開発を提案されたあの日がなかったら、今はない」

植松は、この30年を万感の思いで振り返る。

宮内は、その後も次々と新しい携帯電話の設計を手掛けた。ｉＰｈｏｎｅが日本で発売され、携帯電話の端末がスマートフォンにシフトしてからも、より新しいもの、より良いものを求め、最前線で新機種の開発を支え続けた。

2023（令和5）年の年の瀬、宮内はシャープ社員として最後の日を迎えた。

「どんなサラリーマン人生でしたか？」

そう問われて、こんな答えを返した。

「好きに生きました。好きにやらせてもらいました。好きに生きられるように、努力してきました」

22歳で事務職から技術職になろうと決め、ゴールに向かって真面目に学び続けた。技術を習得したこと、カメラ付き携帯電話で世界を変えたこと以上に、自らゴールを設定し、それに向かって努力し続けたことが、宮内の誇りであり、42年間の財産だった。

シャープを退職した後は、ものづくりとは全く違う仕事を始めることにした。その方が楽しいからだ。知らないことを知りたい。できなかったことができるようになりたい。ルーティンワークはつまらない。

退職の日、反骨のエンジニアは、集まった100人を超える後輩を前に最後のあいさつをすると、手渡された大きな花束を肩にかついで、颯爽（さっそう）と去って行った。後ろを振り返ることは、一度もなかった。

III 約束の春

——三陸鉄道 復旧への苦闘

三陸鉄道の全線復旧後、島越駅に入る下り一番列車を大漁旗で歓迎する人たち（写真：共同通信社）

1　三陸を襲った未曽有の大地震

3年後の入学式までに復旧せよ

　東北・岩手県の山あいをひた走る三陸鉄道。2013（平成25）年に放送された朝の連続テレビ小説『あまちゃん』にも登場する、全国初の第三セクター鉄道である。レトロで愛らしい列車が風光明媚（ふうこうめいび）な土地を駆け抜けていく姿は、多くの人の記憶に残っている。車両のシンボルカラーである青・赤・白のトリコロールは、それぞれ「三陸の海」「鉄道に対する情熱」「誠実」を表している。

　2011（平成23）年3月11日午後2時46分、東北地方太平洋沖地震（東日本大震災）が三陸地方を襲った。岩手県ではおよそ6000人が津波の犠牲となり、三陸鉄道の線路や駅舎も流された。地震の影響で、全路線の9割で列車が通れない状況となった。

赤字続きのローカル線だった。沿線の人口減少やマイカーの普及により、２０１０（平成22）年には、利用者数が開業時の７割減（85万１０００人）まで落ち込んでいた。被災による被害は甚大で、誰もが、三陸鉄道の廃線を覚悟した。

だがそのとき、人生をかけて、それに抗（あらが）った者たちがいた。陣頭指揮を執ったのは、定年間際に三陸鉄道の社長に就任した、岩手県庁出身の望月正彦（もちづきまさひこ）。鉄道が消えれば、地域の希望が消える。そして、地域そのものが消えてしまう。そういった強い危機感から、住民の願いを背負い、三陸鉄道の復旧工事を独断で発注した。

「６年と見込まれた工事を、３年後の春、子どもたちの入学式に間に合わせてほしい」

住民と建設会社を巻き込んだ、悲願の復興プロジェクト。これは、故郷の日常を守るため、見知らぬ者同士が力を合わせた勇気の物語である。

地元住民の悲願

物語は１９８０年代、三陸鉄道の開業までさかのぼる。

切り立ったリアス海岸で名高い岩手県の三陸沿岸地方は、昭和の半ばまで交通網の整備が遅れた地域だった。市街地まで船で１日がかりという地域もあり、「陸の孤島」とも評された。

1896（明治29）年に起きた三陸地震では、巨大津波が三陸沿岸を襲った。海辺の集落が多かったため、壊滅的な被害を受けた。加えて、急峻な地形が支援物資の輸送を阻み、二次被害も発生した。

この経験を踏まえ、三陸地方にも鉄道の建設を望む声が高まった。戦前には大船渡線（気仙沼―盛間）、山田線（釜石―宮古間）、八戸線（久慈―八戸間）が開通し、戦後も盛線（盛―吉浜間）や宮古線（宮古―田老間）、久慈線（普代―久慈間）が相次いで開通した。しかし、1980（昭和55）年の国鉄再建法によって、盛線、宮古線、久慈線は第一次特定地方交通線に選定されてしまう。いわば「赤字路線」の烙印を押され、廃止の対象とされたのだ。

このままでは廃線の危機もあったが、岩手県と沿線自治体が協力して設立した第三セクターが継承する形で、三陸鉄道株式会社が設立された。第三セクターとは、国や地方自治体、民間が合同で出資・経営する企業のことで、地域の人たちのためになることを第一の目的とした。

このとき、鉄道が敷設されていなかった吉浜―釜石間（15・0キロ）、田老―普代間（32・2キロ）も新設され、三陸沿岸地方が鉄道で縦貫された。開業時は盛―釜石間の「南リアス線」、宮古―久慈間の「北リアス線」に分かれていたが、2019（平成31）年にJR山田線の一部（釜石―宮古間）が三陸鉄道に移管され、現在の盛から久慈を結ぶ全長163キロの「三陸鉄道リアス線」となった。

「地域に愛される仕事」を求めて

1984（昭和59）年4月1日、三陸に暮らす人たちにとっての悲願でもあった「三陸鉄道」が開業した。当日は大勢の人が列車に乗車し、沿線では地域住民が走りゆく列車に手を振った。三陸鉄道は「三鉄」の愛称で親しまれ、高校生や病院に通うお年寄りなどの〝足〟となった。

1期生の北海道札幌市出身の金野淳一（こんのじゅんいち）は、「地域に愛される仕事」に惹（ひ）かれ、大手企業の誘いを断って三鉄に入社した。

「開業日はホームというホーム、駅という駅、どこもかしこも人だらけで、宮古駅にも線路の中にもお客様がたくさんいました。私は前の晩から宮古駅に詰めて、イベントの車掌を務めましたが、もう駅前も人で埋め尽くされていました。各駅で花束贈呈があったり、お客様が拍手してくださったり、おばあちゃんが泣いていたりとか、本当に皆さんが鉄道の開業を喜んでいたことを実感したのを覚えています」

その後、金野は運転士になってワンマン列車の運転業務などを行ったが、そこでも地元の人たちとの繋がりを感じたという。

「列車に乗っていると、手を振ってくれたり、差し入れをいただいたりして、地域との繋がりを感じました。運賃を握りしめていらっしゃるので、渡されるときにほかほかしていましたね。ご高齢の方から、『三鉄のおかげで病院にも通えるし、買い物にも行ける。とてもありがたい』と声をかけていただいたこともあります」

過疎化による利用者の減少

三陸鉄道は、開業から10年は黒字経営だった。しかし、利用者が減少し、1994（平成6）年以降は赤字経営が続いた。通学する高校生の利用減も、三鉄の経営に大きく響いた。入社以来、三鉄の現場で働き続けた金野も、それを実感していた。

「昔は朝の列車に300人も400人も乗せて、列車が宮古駅や久慈駅に着くと、たくさんの高校生が乗り降りしていました。それこそ都会の電車みたいな混み具合で、乗っていても動けないぐらい、車内が混んでいました。でも今から30年ぐらい前から、徐々に減っているなと感じるようになりました」

知恵を絞って対策を考えた。車内を畳敷きの掘りごたつ風に改造した「こたつ列車」を導入するなど、さまざまな企画列車を運行して、多くの観光客を誘致した。それでも、赤字は避けられなかった。2010（平成22）年には、乗客数が開業時の約3分の1まで落ち込んだ。

沿線の過疎化が進むなか、岩手県庁職員の望月正彦が三陸鉄道の社長に就任した。2010年6月のことである。

「出張で宮古や釜石に行ったり、久慈に出向していた時期はありましたが、職場はほとんどが県庁所在地の盛岡でした。だから、すごく期待されて社長になったかというと、そうではなかったと思います。三陸が赤字続きだということは当然知っていたので、最初は正直厳しいなと感じていました。だけど、岩手県が好きで、岩手のためになるようなことをしたいと思って入庁したわけですから、できることをやってみようと思い、社長の職に就きました」

1952（昭和27）年生まれの望月は、残り2年で定年を迎える。県庁一筋で経営の経験はなかったが、これが最後の奉公と思い、妻を盛岡に残して社長に就任した。勤続26年という。
の金野は、「自分でどんどん動くし、社員がやりたいことをやらせてくれる」と感じたと
朝夕、学生の元気な挨拶が響く鉄道を穏やかに見守るうち、望月も地域の人々に愛され
る三鉄への愛着が強くなった。趣味の山菜採りも充実し、社長就任から9か月後の
2011（平成23）年3月11日、その地震は起きた。

地震発生時の三鉄

午後2時46分、三陸鉄道が誇る美しい景観は一変する。観測史上最大マグニチュード
9・0の地震が、東北地方をはじめとする東日本一帯を襲ったのだ。三鉄が走る沿岸部
200キロに渡り、巨大な津波が押し寄せて家々を押し流した。
地震が起きたとき、望月は宮古駅の2階にある三鉄本社の事務室にいた。本社に導入し
ていた災害優先電話が一斉に警告音を発し、その数秒後、ものすごい揺れが襲った。望月
は動き出しそうな金庫を押さえながら、指示を出した。揺れが収まった後に大津波警報が
発令されたことを確認すると、一般職員と乗客を宮古小学校に避難させるとともに、望月
ら本社幹部は近くの陸橋に避難した。

地震発生時、列車は運行中だった。北リアス線では、久慈発宮古行の列車が15人の乗客を乗せていた。白井海岸駅を発車したばかりの列車は、運行部からの指令で緊急停止。しばらく停車していたが、夜までに救助が完了した。

南リアス線では、盛発釜石行の列車が2名の乗客を乗せ、大船渡市と釜石市の間にある鍬台トンネル内を走っていたところで緊急停止した。このトンネルと熊木トンネルの間に架かる荒川橋梁は、津波で崩落している。仮に列車を走らせてトンネルの外に出していたら、津波に飲まれていたかもしれない。

運転士は、停止後2時間が経過してからトンネル外に出て状況を確認した。外の世界は一変していた。車両に戻った運転士は2名の乗客を誘導し、約1・5キロを歩いてトンネルを脱出、乗客を大船渡市内の避難所まで送り届けた。車両はそのまま鍬台トンネル内に放置された。

三陸鉄道の本社は停電となり、余震も続いた。パソコンも電話も使えない。社長の望月は、宮古駅のホームに1台だけ停まっていた列車に対策本部を設置した。軽油を燃料に走るディーゼル車両のため、エンジンをかければ電気を使うことができた。

車内にはトイレもあり、駅の売店用にストックした菓子パンやカップラーメンを当座の食事とした。すでに日も暮れ、寒さも厳しくなったが、ディーゼルの暖房が社員たちの体を温めた。宮古駅前には家に帰れず、途方に暮れていた人もいたので、その人たちも車両に誘い入れた。

社員はホワイトボードやノート、災害優先携帯電話などを車内に持ち込み、情報収集や安否確認に追われた。北リアス線と南リアス線の列車の安全を確認すると、社員は新聞紙をかけ、列車の座席で眠りについた。この状況は、停電が解消する16日の夕方まで続くことになる。

津波によって全てが流された島越駅

3月13日、津波警報が注意報に変わった。望月は旅客サービス部長の冨手淳（とみてあつし）と一緒に、宮古から普代村まで、様子を確認することにした。海沿いの国道は瓦礫（がれき）に覆われていたので、林道などを使って1駅ずつ確かめた。

2人が現場で見たものは、想像を絶する光景だった。

宮古市田老地区は１８９６（明治29）年、１９３３（昭和８）年と立て続けに大津波による壊滅的被害を受けている。そのため、「万里の長城」とも形容される長大な防潮堤が築かれた。しかし、今回の津波はその上を軽々と越えて、家々を押し流してしまった。田老駅は線路の流失は免れたが、駅とその周辺には瓦礫が散乱していた。

北リアス線の島越（しまのこし）駅は、頑丈なコンクリート製の高架橋が通っており、被害は大きくないと想定していた。しかし、実際に現地を見てみると駅舎ごと流されていた。島越駅は目の前に海が広がる瀟洒（しょうしゃ）な南欧風の駅舎が特徴で、近隣住民からも愛される駅だった。ホームは高さ10メートルの場所にあったが、高さ25メートルの巨大津波は無惨にもこれを打ち砕くと、駅周辺にあった121軒の家々も押し流していた。残っていたのは、岩手が誇る詩人・宮沢賢治の詩碑のみであった。

記録写真を撮っていた冨手は、涙も出なかった。

「これは……という感じはありましたね。復旧にも相当な金額がかかるだろうというのがわかって、他の場所でもこういうことが起きているのだろうと感じました。復旧するにしても相当な時間を要するし、そもそも復旧できるのかという思いもありました」

あまりに凄惨（せいさん）な光景を前に、冨手はシャッターを押すのを躊躇（ちゅうちょ）した。しかし、災害の歴史を後世に伝えるため、ひたすら写真を撮り続けた。

望月もまた、変わり果てた沿線の光景に愕然（がくぜん）としていた。そんな最中に、行方不明者を捜す消防団から思わぬことを尋ねられた。

「三鉄は、いつから走るんですか？」

それを聞いた望月は、思わず「えっ？」と返したという。

「だってこの状況を見ればね、高架橋が流され、駅が流されて、とんでもない状況じゃないですか。だから、『何でそんなことを聞くんですか？』と言ったんです。そうしたら、その方は『ウチの子が宮古の高校に通わなきゃいけないんだ』とおっしゃったんです」

望月が足元をふと見ると、線路の雪に足跡がたくさん残っていた。国道が寸断し、ガソリンも不足していたので、線路を歩いて避難所に向かう人も少なくなかったのだ。岩手県では5万人が体育館などに避難したが、物資は届かず、電話も繋がらず、家族の安否すら確認できない人々が大勢いた。線路の上には黒板が置かれ、伝言板代わりに使われていた。

「今、自分がここにいる意味は何か？」

「自分は、社長として何をすべきなのか？」

望月は、動かせるところから三鉄を動かす決心をした。

2　震災から5日、奇跡の運行再開

三鉄の使命

宮古に戻った望月は、社員たちに運行再開の旨を告げた。しかし、運行の責任者である金野は、安全管理者の立場から「危険すぎる」と猛反対した。金野は仙台出張中に被災し、寸断された道路を避けながら宮古に戻ってきていた。

「どこの線路が壊れているのか、地震による影響がどのくらいなのかというのがわからない状況で、『動かせるところから動かす』と言われても、運行責任者としては『はい』とは言えないじゃないですか。だから、まずは調査をして、いろいろと検査を行い、悪いところがあれば修復させるのが大事だと思い、反対しました」

社員も被災している。列車を動かせる状況ではなかった。しかし、望月はそれを重々承知の上で、はねつけた。

「地域の人たちが一番困っているときに動かすのが、第三セクターとしての使命じゃないのか？」

ここで動かさなかったら、もう三陸鉄道は終わりだと、望月は考えていた。普段は穏やかな2人が、声を荒げて怒鳴り合った。1時間近く互いに思いをぶつけ合ったが、最後は金野が望月の熱意に押される形で折れ、ほとんど被災していない北リアス線の久慈—陸中野田間から復旧させることにした。望月が振り返る。

「正直、私が金野と何を話していたかはよく覚えていません。だけど、お互いに三鉄のこと、地域の人たちのことを思って意見をぶつけ合ったのは確かだと思います。最後は金野に納得してもらい、久慈に行ってもらいました」

車で約2時間かけて久慈に向かった金野は、現場の社員たちに列車を再開させる旨を伝えた。

「できるだけ早く動かすことを説明して、何か質問、意見、疑問、不満があるなら、今言ってほしいと言いました。この時間、この場を逃したら、もうそれぞれの部門ごとに線路や車両の点検、運転士の準備などをしなければならなくなる。そして、時間も限られている。全員の気持ちを1つにするため、『言いたいことは言ってほしい』と伝えました」

社員から挙がってきたのは、「なぜそんなに急ぐのか?」という疑問だった。それは、数時間前に金野が望月にぶつけた疑問と同じだった。まだ地震が発生してから3日目で、社員たちも混乱の極みの中にいた。自宅や車が流され、家族や友人、親戚と連絡がつかない者もいた。

社員たちの疑問に対し、金野はこう答えた。

「三鉄が今、やらなければならないことは何か。今、できることをやらなければ、三鉄の存在もどうなるかわからない」

社員たちにも思うところはあったが、復旧に向けての点検作業が14日から始まった。そして、久慈―陸中野田間の運行再開に支障がないことを確認してから、岩手県の達増拓也（たっそたくや）知事の了解を求めた。望月は1日5往復を望んでいたが、1日3往復という条件で許可が降りた（5月9日には1日8往復に増便）。

地震発生5日後の運行再開

3月16日午前8時、久慈―陸中野田間で運行が再開された。地震発生からわずか5日後のことだった。余震が続いていたので、時速25キロの徐行運転だった（4月11日からは時速45キロ）。「災害復興支援列車」として3月中の運賃は無料とし、4月以降も1年間は9～33％の割引運賃とした。

運行再開に際し、望月は「警笛（けいてき）を鳴らしっぱなしで行け」という指示を出していた。

「目的は2つあります。1つは道路が津波で流された状況で線路を歩いている人がたくさんいたので、危険を知らせるため。もう1つは、鉄道が動いていることを、地域の皆さんに知ってもらうためです。列車を走らせていると、沿線の方たちが手を振ってくださって、そこで『運行を再開してよかった』と実感できましたね」

安全管理を担当する金野も、汽笛に対する思い入れは深い。

「汽笛はいろんな人たちの思いに響いていることを、あのとき本当に感じました。今も汽笛が鳴ると、この地域を三鉄が走っている証のように感じています。汽笛が鳴り、それを聞くたびに、私はワクワクしますね」

地震発生からわずか5日後の運転再開は、地元の人たちに希望の光をもたらした。久慈市に住む中戸鎖沙織は、野田村で被災した義父母にタオルと歯ブラシを届けるため、娘とともに一番列車に乗車した。

「夫から列車が走るという連絡があって、乗ることにしました。車も通れないし、電話もできなかったので、こんなにありがたいと思ったことはなかったですね。義父母は娘を見て、『よかった、よかった』と言って、とにかく安心していました。小さな列車ですけど、私の中ではすごく大きく感じています」

一番列車に乗車した金野も、沿道で手を振る人たちの姿を見て、ひとまず安堵した。

「被災した家の片付けや行方がわからない方の捜索などに当たっていた皆様は、長靴やカッパ姿で泥にまみれていました。『こんなに汚れているけど、乗せてもらえるだろうか？』と聞かれましたが、私は『どうぞ乗ってください。汚れたって洗えば大丈夫ですから』と言い、どんどん乗っていただきました。知り合いの顔を見て、『生きてたかぁ。よかった』という会話も聞こえてきました」

列車から降りるとき、乗客が駅員に「ありがとう」と言ってくれた。それを聞いて、社員たちも「動かしてよかった」「地域のために役立った」と思えた。この経験が、全線運行再開という高い壁に立ち向かうモチベーションとなった。

「地域の足」としての役割

望月たちが次に目指したのは、宮古—田老間の運行再開だった。津波は田老駅にも到達し、構内には瓦礫が散乱していた。周囲の道路と線路も土砂や瓦礫で覆われ、三鉄の社員だけではどうすることもできなかった。

そこで、宮古市の要請を受けた自衛隊により、まずは駅までの道路啓開が行われた。さらに、地元消防団の協力も得て、線路や駅周辺の瓦礫が撤去された。20日午前に試運転列車を運行し、同日正午から宮古―田老間の運行が再開された。29日には運行再開区間が北リアス線田老―小本（現在の岩泉小本駅）まで延びているが、この区間の瓦礫撤去も主に自衛隊が担っている。

当初、この区間には車両が1つしかなく、都会のラッシュと同じくらい混雑することもあった。そこで、久慈の車両基地にある2両を移送させることにした。久慈と宮古はレールで結ばれていないため、大型トレーラーを使って宮古に運んだ。朝の通学列車が2両編成となり、混雑解消を図ることができた。

こうして、ひとまず動かせる区間は、三鉄が自力で再開させることができた。地震発生からの数日間は朝昼晩で状況がめまぐるしく変化し、それにあわせて列車の動かし方も変えていかなければならなかった。信号が使えない箇所では旗で信号を出したり、踏切をロープで遮断するなどして、三鉄は「地域の足」としての役割を果たし続けていた。

被害の全容

地震発生から1か月が経過して、三陸鉄道の被害の全容がわかってきた。

北リアス線は大小合わせて70か所が被害を受けた。野田村の野田玉川—陸中野田間では軌道が2キロに渡り流出した。最大の被害を受けたのは島越駅で、駅舎や高架橋などが跡形もなく失われてしまった。また、島越—田野畑間にあるハイペ沢とコイコロベ沢の橋梁も流出している。ただし、宮古市以北は震度5弱で地震の揺れによる被害はほとんどなかったため、北リアス線は部分的に運行を再開させることができた。

一方の南リアス線は247か所の被害を受けた。南リアス線では釜石市以南で震度6弱を計測し、地震による橋梁の損傷、路盤の陥没などが多数発生している。被害状況の調査によって、盛駅付近や甫嶺駅周辺の線路の流出、甫嶺—三陸間の築堤や軌道の流出、盛川・大渡川橋梁の損傷、荒川橋梁の流出などが確認された。

また、南リアス線運行部の車両基地が津波で冠水し、車両3両のエンジンなどの走行部が海水に浸かって使用不能となった。南リアス線に所属していた車両で被災を免れたのは、震災当日、鍬台トンネル内に残された、あの1両だけであった。「奇跡の車両」とも呼ばれた鍬台トンネル内の車両は、6月24日に外へ運び出された。

南リアス線は車両がなく、地震による被害も深刻だった。そのため、全線で運行できる状況になく、運行再開の見通しは立っていなかった。

「前から赤字だったので、この機に廃線にするのはやむなし」

全線復旧を望む声が寄せられる中で、このような意見も少なからずあった。モータリゼーション化が進む中で、鉄道の存在意義は薄れかけていた。

全線復旧を信じる住民たち

望月は、北リアス線の中でも被害が大きかった田野畑駅を訪ねた。そこで、列車が通らない線路脇に生えている雑草を刈り取っている沿線住民を見た。

この辺りは、三鉄の中でも最後に鉄道が敷かれた地域だった。列車が運行する前は学校に通うのも、病院へ行くのも非常に不便だったが、三鉄ができたことでそれらが解消された。そのため、田野畑村の人たちの三鉄に対する思い入れは強く、「地域の宝」である三陸の運行再開を強く願っていた。駅周辺にあった瓦礫の撤去も、田野畑村では村民が率先して行った。

津波で自宅が流された宮森秀幸（みやもりひでゆき）も、三鉄の再開を願う一人だった。震災前から線路脇の雑草を刈り取っていたが、震災後も変わらず続けていた。

「駅は田野畑の玄関口ですから、なくさないようにするには、キレイにしておくのが大事ですよね。三鉄がなくなったら高齢者が病院に行くのも大変になるので、早く開通してもらいたくて草刈りを続けていたところはありましたね」

地域の人たちは列車が走っていなくても、駅舎の清掃やペンキ塗りを行っていた。冬の三陸沿岸は雪も降り積もるが、除雪作業まで買って出た。三鉄の全線運行再開は、社員にとっても、地域の人たちにとっても悲願だったのだ。

草むしりをする人たちを見て、望月は奮い立った。

「いつ走るかわからない、あるいは走らないかもしれない鉄道の駅で、一生懸命草むしりしている。そういう姿を見たら、『この人たちのために何とか頑張らなきゃいけない』と思わずにはいられませんでした」

住民たちの行動が、望月たちが前に進む力になった。

望月の決断

望月の脳裏によぎっていたのは、鉄道の廃線を機に廃(すた)れていった集落の話である。

「第三セクター鉄道が廃止されて、衰退してしまった集落は数多くあります。車があるから大丈夫と思われるかもしれませんが、山あいの三陸は道がうねっていて運転も大変です。通学や買い物で三鉄を利用していた人たちが、運休中に違う地域へと引っ越してしまうかもしれませんし、観光の観点からも地域経済への打撃は少なくありません。そもそも三鉄は交通が不便という理由で開通した鉄道ですから、できる限り早く復旧させ維持していくことが、三陸沿岸の未来にとって非常に大事なことでした」

一度に多くの乗客が乗せられる鉄道は、地域にとって大きなメリットがある。簡単になくすわけにはいかなかった。

肝心なのは、全線復旧の時期がいつになるかということだった。時期を明示すれば、いつまで待てばいいのかがわかり、地域衰退の抑止力にもなる。当初、復旧工事は6年と見込まれていた。それでは長すぎる。望月は施設管理の担当らと話し合って工期を定め、社員たちに決意を伝えた。

「三鉄は3年で復旧させる。3年後、子どもたちの入学式までに全線を復旧させよう」

三鉄を最も必要としていたのは、地元の高校生たちである。高校生が三鉄で通学できるようになることが、何より重要だった。1年後、2年後は無理かもしれない。だが、3年後の入学式には間に合わせたい。そう考えて、全線復旧の季節を春に定めたのである。

「公共交通機関は早く復旧しないと、地域の人たちはマイカーに移行するなど、自衛手段をとるようになります。私が地域住民だったとしても、おそらくそうした行動をとったことでしょう。５年も６年もかけていたら、三鉄は忘れ去られてしまいます。そうなると、『誰も乗らない鉄道』になるので、復旧工事の期間を３年と定めました」

このとき、復旧に必要な資金のあてはまだついていなかった。望月は36年の公務員生活でも下したことがない、人生をかけた決断をすることになる。

最大の壁となった１０８億円の工事費

被害が甚大ならば、その復旧にかかる費用も莫大になる。三鉄の施設管理担当者は、北リアス線と南リアス線の全線復旧に80億から１１０億円が必要という試算を出した。災害復旧の場合、国から４分の１、自治体から４分の１の補助金が出る。しかし、残る２分の１は鉄道事業者が自己負担しなければならない。三陸鉄道の年間収入はおよそ３億円である。２分の１であっても自力で捻出（ねんしゅつ）するのは難しい。ましてや地元自治体も大きな被害を受けている。復旧には国からの支援が不可欠であった。

社長の望月は、まずは三鉄沿線の８つの市町村長を訪問し、復旧方針を説明した。８つの市町村とは、宮古市、大船渡市、久慈市、釜石市、岩泉町、田野畑村、普代村、野田村である。国からの支援をとりつけるには、沿線自治体が一枚岩になっていることを伝える必要があった。そこで、望月は三鉄復旧に関する3つの方針を掲げ、各市町村長に協力を求めた。

1　3年以内の全線復旧を目指す
2　復旧は被災状況に応じて第1次～第3次に分けて行う
3　被災区間でもルートは変更しない

第1次復旧　北リアス線田野畑―陸中野田間　2012（平成24）年4月運行再開
第2次復旧　南リアス線盛―吉浜間　2013（平成25）年4月運行再開
第3次復旧　北リアス線小本―田野畑間、南リアス線吉浜―釜石間　2014（平成26）年4月運行再開

ルートを変更しなかったのは、三鉄の津波被害が広範囲ではなく点在していたためだった。また、三陸鉄道の駅はトンネルとトンネルの間に設置されているものが多く、ルート

変更するには新しくトンネルを掘り直す必要がある。それでは3年の工事で済まないので、現行のルートで復旧を目指すことになった。

市町村長がこれらの方針をどう受け止めるか。すでに北リアス線はいくつかの区間が部分復旧しており、カギを握っているのは南リアス線管内の大船渡市と釜石市のように思われた。望月は、両市を含めた全ての市町村長から内諾を得た。5月9日には、沿線8市町村長と望月の連名で、岩手県の達増知事に「三陸鉄道の復旧に関する緊急要望書」を提出している。

6月には、岩手県知事の要請を受けた自衛隊が「三鉄の希望作戦」と称し、延べ2000名で南リアス線一帯の瓦礫撤去作業を行った。任務にあたった東北方面隊第9師団第9施設大隊には、岩手県出身の隊員が多く在籍していた。作業は約2週間で完遂し、復旧への足がかりを築いた。

7月に行われた三鉄の定時株主総会でも、3年以内に全線復旧を目指す方針が満場一致で承認された。三鉄の復旧を願う声、三鉄を激励する声は、日に日に高まっていった。震災の5日後に再び走り始めた三鉄は人々に勇気を与え、今度はその人たちが三鉄の復旧を強力に後押ししていた。

「ただ待っているだけでは遅い」

全面復旧に向けて動き始めても、そのために必要な国の支援は、いまだに取り付けられていなかった。危機感を抱いた望月は夜行バスで宮古から東京へと向かい、国土交通省の鉄道局長に補助率の引き上げを訴えた。

政府や県の関係者が視察にやってきたときには、望月がその都度、状況を丁寧に説明した。そして、この地域に鉄道が不可欠なこと、三鉄への支援の必要性を真摯に訴え続けた。また、「フロントライン研修」を開始し、被災地の現状を知りたがっていた企業や大学の研究者などに、被災地のフロントライン（最前線）を紹介した。

一方で、望月は資金繰りがつかないまま、〝見切り発車〟で復旧に向けて動き始めた。例えば、5月にはレールの仮発注を済ませている。まだ先行きが不透明な状況だったが、「三鉄を復興させる」というビジョンと信念が、望月を突き動かしていた。

「単に無鉄砲でやったというわけではありません。沿線市町村の了解も得ていますし、県にも事情を話していたので。3年後の春というゴールを見据えたとき、ただ待っているだけでは遅いので、動いたに過ぎません」

ある程度の見通しが立ったのち、望月は鉄道建設・運輸施設整備支援機構（ＪＲＴＴ、鉄道・運輸機構）に復旧工事を委託要請した。日数が経ってから工事を依頼すると材料の調達が厳しくなり、人手の確保も困難になる。素早く動く必要があった。

鉄道・運輸機構とは、交通ネットワークの整備を目的として設置された、国土交通省所管の独立行政法人である。日本鉄道建設公団（鉄道公団）と運輸施設整備事業団（運輸事業団）の業務を承継する形で、２００３（平成15）年に設立された。

鉄道・運輸機構の前身である旧鉄道公団は、過去に三陸鉄道の前身である久慈線や盛線の建設を進めた経緯もある。協定を締結し、機構が全面的な支援を行うことになった。ただし、3年という年数は、鉄道・運輸機構と細かく打ち合わせをして決めた日程ではない。三鉄側が復旧工事にかかる期間を施設管理部と検討して決めたものなので、鉄道・運輸機構にいろいろと無理をしてもらった面は否めなかった。

全面復旧を下支えした鉄道・運輸機構

主な工事内容は、津波で流出した盛り土、線路および通信ケーブルの復旧、駅および橋梁の再構築、地震で損傷した橋梁の修復などである。しかし、被災した鉄道の復旧は、鉄道の整備（建設）を主体に行ってきた鉄道・運輸機構にとって、ほとんど経験がない業務だった。

北リアス線を担当する鉄道・運輸機構の進藤良則に三鉄復旧の話が来たのは、9月下旬頃のことだった。それまでは、仙台空港鉄道やつくばエクスプレスの復旧支援を行っていた。三鉄沿線の調査をしたとき、進藤は「全面復旧には、早くても5年ぐらいかかる」と感じた。

「正直ですね、沿線が非常に長いんです。これを全部直すというわけですから、部分的に走っているとはいえ、時間がかかるなと感じました。特に北リアス線の田野畑―陸中野田間は、運行再開予定が翌年の4月に迫っていたので、非常に不安でしたね」

とはいえ、復旧は早い方がいいというのは、進藤も感じるところだった。

「やはり通学・通勤、それと通院ですね。特に通学だと思うんですけれど、定期券は4月に買う人が多い。入学も始まるということで、4月が一番いい時期だろうと感じていました。だから4月という言葉を聞いたときから、絶対に4月を目処に復旧させようという思いになりました」

南リアス線を担当する鉄道・運輸機構の野田軍治も、最初に3年という工期を聞いたとき、短いと感じた。しかし、決して無理だとは言わなかった。

「確かに、もう少し余裕があれば、もっといいものができたかもしれません。しかし、復旧させようという思いの方が強かったので、何か工夫しながらやりましょうということになりました」

11月3日、野田村の十府ヶ浦(とふがうら)地区において、南北リアス線復旧工事の起工式・安全祈願祭が行われた。鉄道・運輸機構は神奈川県横浜市の本社に復興支援チームを置き、久慈市に「三陸鉄道復興鉄道建設所」を設けた。翌年には釜石市にも建設所を設け、久慈と釜石の中間に位置する宮古市にも「三陸鉄道復興工事課」を設置した。

そして11月21日、三鉄に吉報がもたらされた。三鉄の復旧経費を含む国の第3次補正予算が可決成立。全線復旧までの費用約108億円を、国が実質的に全額負担することになった。震災特例で国と地元自治体が50%ずつ負担し、さらにこの自治体負担分も地方交付税でまかなうことで、国が全面支援する形になったのである。

また、岩手県も9月補正予算で三陸鉄道復旧経費5億7000万円を計上。これにより、全面復旧の加速力が増していった。

3　懸命の復旧作業

全国から集まった作業員たち

まずは、第1次復旧区間工事の田野畑—陸中野田間である。被害があった野田玉川—陸中野田間の2キロで軌道を敷設し直すとともに、盛土補強材で法面（切土や盛り土により作られる人工的な斜面）を強化。工事はほぼ予定通りに進み、2012（平成24）年4月1日に運行が再開された。この日から、「てをつな号」「キット、ずっと号」など、ラッピング列車の運転も始まった。

1区間も運行されていない南リアス線は、西松建設と熊谷組の力を借り、一気に工事を進めていった。熊谷組の所長は、秋田県出身の木村晃。東北の仲間のためにと、困難な現場に名乗りを挙げた。

「やっぱり、なくしちゃいけないという気持ちが皆さん強かったですから。意地じゃないですけど、受けたからにはこの仕事を絶対に成し遂げようと思っていました」

しかし、現場の被害は甚大だ。図面と全く異なる箇所に破損が見つかるなどして、作業量は見積もりの3倍になった。それでも工期が変わることはなかったので、木村もさすがに不安を抱き、本社に連絡して人手の協力を求めた。すると、全国から多くの作業員が応援に駆けつけた。

「当初は、50~60人いれば何とかなるかなと思っていましたが、最終的には200人以上の作業員が来てくれました。やがて宿舎（北里大学海洋学部の学生用アパート）に入りきらなくなり、地元の方からさまざまな民宿、ホテルを紹介していただきました。それでも間に合わなくて、最終的には自分たちで宿舎を設けました」

作業現場には三鉄社長の望月もしばしばやってきて、作業員たちを激励した。「届けみんなの気持ち、よみがえれ三陸鉄道」のスローガンを掲げ、運行再開を目指した。

作業員たちのために食事を用意した人たち

大勢の作業員の食事も課題の1つだったが、地元の女性たちが食事係を買って出た。大船渡市に住む熊谷ヤス子は、自宅が津波で壊れる被害を受け、仮設住宅に暮らしていた。それでも、毎朝4時に仕事へと向かった。

「ゆでたまごは4時に行ってからだと間に合わないから、前日帰る前に下準備をしていました。おでんの大根が足りないかなと思ったら、家から持ってきて足したり、おかずもマンネリ化しないようにしました」

復旧工事に携わる人々には、「故郷の日常を取り戻したい」という共通の思いがあった。たとえ見知らぬ者同士であっても、強い絆で結びついていた。

「もちろん、朝も早いし、大変でしたよ。だけど、家族と離れて一生懸命働いて、三鉄を直してくれているわけですから、何かしてあげたいとは思いますよね」

地元の女性たちが丹精込めて作った食事は、作業員たちのパワーの源になった。所長の木村も、彼女たちに感謝しきりだった。地域との絆が、復旧の原動力になった。

「皆さんも被災されているのに、朝早くから食事の用意をしてくださって。地元の皆様方は強いなと感じました。皆さんとても優しくて、自分の家から野菜を持ってきて、メニューに足してくれたりしました。本当にありがたかったです」

復旧作業は順調に進み、当初の予定通り、2013（平成25）年4月3日に盛―吉浜間の運行が再開された。盛駅や吉浜駅では盛大なイベントが行われ、県内外からやって来た多くの人々でにぎわっていた。吉浜駅は近くの山を走る国道まで渋滞し、駅開業以来、最多の人出とも報じられた。

「レール販売」というアイデア

復旧が順調に進む一方で、三鉄は経営面で厳しい状況に置かれていた。

2010（平成22）年には4億2500万円あった営業収益も、震災を受けた2011年は2億4900万円に減少した。赤字幅も拡大し、2億円台の大台に乗った。このままでは、三鉄そのものの存続も危うい状況だった。社長の望月も、追い詰められていた。

「特に南リアス線は2年も列車が動かせなかったので、前途を悲観して辞めていく人もいました。毎日の収入だけでどうにかならないのは十分わかっていたので、さまざまな支援や補助を併せながら経営計画を練っていました」

銀行からの融資を受けて雇用を守ろうとしたが、まかなえない。望月は人件費の抑制に踏み切った。一部の社員を、同じ岩手県の第三セクター鉄道であるIGRいわて銀河鉄道に期限付きで転籍させた。パートの職員にも、辞めてもらうしかなかった。申し訳ない思いで一杯だった。

一方で、運賃以外の収入を確保するために知恵を働かせた。列車のヘッドマークを企業・個人が購入し、1年間オーナーとして契約する「ヘッドマークオーナー」を企画した。年間契約料は30万円で、販売予定分がたちまち完売した。

2011(平成23)年8月には、「復興祈願レール」を売り出した。被災したレールを社員が切断・研磨などの加工をして、台座を取り付けたものだ。幅10センチのものを5万円、5センチのものを3万円、200個限定で売ったが、1日で完売した。売り上げは800万円で、同月の営業収益に匹敵する金額だった。「復興祈願レール」は合計3回作られ、2000万円以上の収入を得た。

「『復興祈願レール』は、社員たちの手作りによるものです。とにかく何をするのも一生懸命というか必死だったので、やれることはやっていこうという感じでした。収入を得て給料の足しにする目的もありましたが、従業員の『心の劣化』を避ける狙いもありました」

さらに、2012(平成24)年6月からは、貸切列車に乗りながら防災について学ぶ「震災学習列車」の運行を開始した。三鉄の営業担当である二橋守(にはしまもる)が企画した。被災地の「今」を列車で移動しながら、震災当日の出来事を語り継いでいる。

三鉄1期生の金野は復旧に向けて動く中で、地元の人たちから期待されていることを、言葉を通じて感じたという。

「常に聞こえてきた声は、『いつ走るの?』。私だけでなく、他の三鉄社員も同じように声をかけられていたと思います。たくさんの方からお声をいただいたことが、復旧の大きな励みになりましたね」

震災から1年、2年と過ぎ、「風化」という言葉が聞かれるようになった。しかし、三鉄の人たちは元の日常を取り戻すため、必死に闘い続けていた。

4 最大の難所・島越の復旧

苦戦を強いられた島越の復旧工事

第2次復旧区間工事の完了によって、残すは北リアス線の小本—田野畑間、南リアス線の吉浜—釜石間のみとなった。

南リアス線の第3次復旧工事は、釜石駅手前の大渡川橋梁、吉浜—唐丹(とうに)間の荒川橋梁の工事が中心となった。河川にはサケが遡上するので、漁業協同組合との打ち合わせを入念に行い、遡上の時期には濁った水を河川に流さないようにした。工事は順調に進み、２０１４（平成26）年4月5日、吉浜―釜石間の運行が再開。これにより南リアス線は全線復旧を果たすこととなる。

一方、北リアス線の復旧工事は苦戦を強いられていた。最大の難所は、駅舎や高架橋、周辺にあった１２１軒の家々が丸ごと流された島越地区だった。震災の翌々日、三鉄社長の望月が訪れて絶望に打ちひしがれた、あの場所である。

島越は南北2か所にトンネルがあるので、島越駅の高さは以前と同じ10メートル程度にしなければならない。仮に被災前と同じ場所に同じ高架橋を構築しても、今回と同規模の津波が発生したときに再び構造物が倒壊・流出する可能性が高い。

そこで今回は、高架橋ではなく築堤形式に変更することにした。耐津波性の向上だけでなく、コストの縮減もできる。仮に同じような津波が来ても、築堤なら土台は残るので、橋梁が流されたときよりも早く復旧させることができる。工程は厳しかったが、だからといって再び流されてもいいようなものではなく、地域のためになる構造物を作ろうとした。

流された駅舎は松前川の南にあったが、津波の際に高台へ避難しやすいように、久慈方の第1島越トンネル手前に移動させた。そして、2014（平成26）年7月から新駅舎の使用を開始した。

また、東北各地で復興工事が進んでいたことで、工事用資材の逼迫や価格の高騰が懸念された。そこで、被災した構造物で再利用できるものは、加工して使用した。津波により流出した法面の岩座張り（板状の岩石を法面上に敷き詰めたもの）を破砕し、盛り土材料として再利用した。

我慢強さが身上の男

島越の工事を任されたのは、東急建設の所長・筒井光夫。福島県出身だった。指名されて「ぜひ」と応じた。

「震災で津波が来て、甚大な被害ですからね。それを見て、ぜひとも復旧工事に携わりたいという思いがありました」

下水道工事を始め、全国で縁の下の工事を担ってきた筒井は我慢強さが身上。三鉄全面復旧のカギを握る区間を任された。

しかし、最初に現場を見たときは、想像以上に被害が大きく、「本当に再開に間に合わせることができるのだろうか」という不安が脳裏をよぎった。すぐ工事に着手することはできない状況だったが、まずはできることから始めることにした。

ネックとなったのが人員だった。だいたい50人近く、ピーク時は90人ぐらい来てもらったが、岩手県内での調達はほとんどできなかった。そこで、青森県や大阪府など、各地の業者に声をかけ、手伝ってもらった。

「工期のこともあったので、不安が全くなかったわけではありません。だけど、私もこういう土木工事を結構長くやってきたので、『工事が始まれば、いつかは終わる』という自信はありました。だから不安よりも、何とかしようという気持ちの方が大きかったです。間に合わないとか、そういうことは一切考えませんでした」

最大の難所を前にしても、筒井の決心とプライドは揺らぐことがなかった。三陸鉄道全面復旧への、最後の闘いが始まった。

迫る工期の期限

島越の復旧工事は、単に築堤を設け、松前川に橋梁を架ければいいわけではない。もともと砂地で脆弱な地盤だったので、大幅な地盤改良を行う必要があった。まずはおよそ

2000本の杭を打ち込み、軟弱な地盤の強化に着手した。この難所を担当する筒井たちのスピードが、工期を守れるかどうかのカギとなった。

しかし、砂地と岩が入り組んだ地質は予想以上に手強く、工事は思うように進まない。気がつけば、予定の工期から2か月近くの遅れが生じていた。設計図は毎日のように変更され、段取りを組む筒井のノートは真っ黒になった。

「絶対に遅れは出してはいけないという、そういう気持ちは常にありました。事務所に行ったとき、まずはノートを開いて、その日の作業内容や作業員さんの人数、行事予定、私がやるノルマなどを書いていきました。私が忘れたりすると、それだけで段取りが遅れて工期に影響を及ぼすので、細かくノートに状況をまとめながら進めました」

復旧には、ある程度の図面が必要となる。災害復旧工事には図面があるが、完成図はない。そのため、現場と図面に違いがあるのは日常茶飯で、ほとんどがそういう状況だった。現場の状況を見ながら、工事をどう進めていくのかを考える日々が続いた。

もう1つ筒井が懸念していたのが、作業によって生じる音と振動だった。地盤改良ではトンネルずり（岩石のこと）を破砕し、砕石状にしたものを強制的に土の中へ入れ、振動を与えながら砕石の杭を作っていく。その際に、かなりの音と振動が生じてしまう。筒井が気にしたのは、近くに住む早野家の人たちだった。

津波の被害が壊滅的だった島越では、17人が亡くなった。家々は流され、高台にある早野家だけがポツンと残った。そこに住む早野さち子も、自宅で被災した。

「私の家の周りは避難所に指定されていたので、近所の方たちも避難してきました。そこで、津波の第1波が来ました。津波は第2波、第3波の方が大きいと昔の人からよく聞いていたので、もっと高い場所に避難しました。そして、暗くなってから消防の方に案内されて、避難所に行きました。私の家は高い場所にあったので残りましたが、ご近所の方たちの家はなくなってしまって……。壊れた家が何も見えなくなったので、流れたというよりも、海の底に沈んだという感じでしたね」

震災によって集落は変わり果て、島越を去った人も少なくなかった。しかし、早野はこの場所に住み続けた。

「『引っ越したら』と、言われたこともありました。私も、ここに1軒だけ残っていたら迷惑なのかなと思ったこともありましたが、ここは土地も建物も全て私たちのものですから。坂道をグネグネと降りていると、『何でこんな不便な所に住んでいるんだろう』と思ったりもしますが、とても愛着がある場所ですから」

復旧工事の開始に際し、音と振動が生じることは工事関係者から聞いていた。しかし、実際に生じる音と振動は、予想以上のものだった。

「常に揺れている、船酔いみたいな感じでした。音も結構大きくて、それがずっと続くわけですから、やはり苦しかったですね」

高台からのエール

筒井が宿舎へ戻るのは、毎晩10時を回っていた。単身赴任でやってきた彼の夕食は、ほとんどコンビニ弁当だった。唯一休めるのは、仙台に住む家族と一緒にいるとき。工事が始まった頃は月に1～2回帰っていたが、徐々に帰る回数が減っていった。日曜日は、次の工事の計画や準備、段取りなどに追われた。

「当時、息子が受験生だったんですけど、何もしてやることができなかったので、そこは本当に申し訳なかったです。家族は『頑張って』と応援してくれて、それは本当にありがたかったです。ちょうど『あまちゃん』が放送されていた頃で、三鉄の工事に携わっていたので、家族に頑張っているところを示せたのかなと思っています」

残り半年を迎えても、筒井たちの工期は2か月遅れのままだった。責任を果たせない重圧から、筒井は仙台の自宅に戻ることがなくなっていた。子どもの誕生日にも、帰ることはできなかった。

「夜寝ていても、工事が失敗した夢を見たりするんです。大丈夫だと自分に言い聞かせていましたが、やはり心の奥底には不安があったようです。朝起きてから夜寝るまで、工程のことで頭が一杯だった時期もありました。私も福島県の会津の方の出身で、雪が結構降る所でした。冬の寒さが厳しい中で育ってきたので、東北の人はよく『我慢強い』と言われますが、私もそうだったのかもしれません。作業員たちの疲れもピークに達していましたが、とにかく忍耐強く頑張る時期でした」

そんなある日のこと。1人の女性が、現場に缶コーヒーを差し入れてくれた。高台にポツンと残されていた家に住む、早野さち子だった。最初は、工事の音と振動が苦しくて仕方がなかった。しかし、毎日そこで働く姿を見ているうちに、気持ちが変わった。

「自宅から工事の現場を見ていて、暑いときも寒いときもジュースの1本も買えないような、木の陰で休むのも難しい場所で作業されていて。本当に大変だなと思いました。2年目に入り、工事が完成へと近づくと、『今日はここができた』などと、夫と話したりしました。自分が工事の皆さんにできることは限られていましたが、本当に感謝の思いは強かったです」

人知れず頑張る姿を記録しようと、夫の鶴喜（つるき）は工事現場の写真を撮った。少しずつ完成に近づいていく写真を見返すと、自然と元気が出た。

筒井も、早野から写真を見せてもらったことがある。それを見て、驚いた。

「まさか工事の様子を撮影している人がいるとは、思ってもいませんでした。地元の方たちも、三鉄の復旧を待ち望んでいるんだなと思いました。そういう感動も覚えました」

筒井は粘り強く、遅れを巻き返していった。通常は土台が完全にできてから始める線路の敷設工事を、同時並行で進めた。複雑を極める段取りを、我慢強く解決した。さらに、昼夜交代の突貫工事で追い上げていった。ときには大雪に見舞われたが、総出で雪かきを行い、工事は絶対に止めなかった。そして、遅れていた筒井たちの工区に、ついにレールが敷かれた。

集落の家々は流されたが、住んでいた人たちは近くの仮設住宅に住んでいた。そこに進捗状況を記したチラシを配布・投函し、工事が着実に進んでいることを伝えた。日々変わっていく島越駅の姿は、震災から立ち上がる復興の象徴となっていた。

震災から3年、ついに全面復旧

2014（平成26）年3月、北リアス線で最後まで不通が続いていた小本―田野畑間の試運転が行われた。筒井は東急建設の社員たちと一緒に、先頭車両に乗った。

筒井が担当した区間は10・5キロ。1か所でも不備があれば、もはや間に合わない。列車は順調に進み、いよいよ島越の松前川橋梁に差しかかった。

――ガタンゴトン、ガタンゴトン……。

筒井たちを乗せた列車は、何事もなく橋梁を渡りきった。震災から丸3年が過ぎた3月17日、ついに全ての線路が繋がった。

筒井は、安堵した。

「やっと責任を達成できたなと、あのときは実感しました。列車が安全に通行できるようになったなと、ホッとした気持ちになりました」

そして、4月6日。北リアス線小本―田野畑間の運行が再開された。約束どおり、子どもたちの入学式に間に合わせることができた。

一番列車の始発駅である宮古駅では全線再開開通式が行われ、三鉄社長の望月が運行再開を宣言した。三鉄1期生の金野も、安全管理のために一番列車に乗車した。三鉄の駅はほとんどが無人駅だったが、どの駅も人だらけで、大漁旗を振って列車を出迎えた。まだ暮らしも不自由な中での、精一杯のもてなしだった。

早野さち子は、一番列車を手作りの横断幕で迎えた。わずか1両の列車は、三陸に笑顔の春を連れてきた。

沿道からは、「おかえり」という言葉が聞こえた。望月は、その光景を今も鮮明に覚えている。

「思い出しますね。ああ、こんなに駅に人が集まってくれたんだって……。すごくうれしかったのと同時に、全線復旧を目指してよかったなと思いました」

島越の駅の工事を担当した筒井も、大勢の人が大漁旗を振る姿を見て感動した。

「島越の駅のホームでは、入りきらないほどの住民の方が迎えてくださいました。それを見て、あの苦労が洗われたというか、本当に報われたという感じを受けました」

三鉄ひと筋の金野にとっても、全線復旧は感慨深いものだった。

「ずっと人が近くにも遠くにもいて、手を振ったり、旗を振ってくれて。今思い出しても、あの光景はグッときます。列車が走っている間、ずっと手を振ってくれて、それだけ待っていただけたんだなというのがすごく伝わってきました。本当にありがたかったです」

三鉄の全線復旧に向けて邁進した怒濤の3年間を、望月はこう振り返る。

「地域の鉄道ということで、地域の皆さんの思いと、それから市町村長さんはじめ、市町村の考え方、あるいは国の支援、それから、クウェートやトルコなど、海外からもさまざまな支援をいただきました。3年間という短い期間の中で全線を再開できたのは、三鉄だけの力ではなく、ご支援をいただいた方々の力の結集によるものだと考えています」

公務員のキャリアの最後に、震災復興に向けて動く三鉄の社長を担った望月。彼を突き動かしたのは、「岩手県が好き」という思いだった。

「やはり、岩手のためになるようなことをしたいと思って岩手県庁に入ったわけですから、それが三鉄の全線再開という形で達成できたのかなと思います。三陸は食べ物もおいしいし、景色も美しいし、人もいいです。いい所なので、ぜひ来ていただきたいですね」

地元の足として、学生たちを乗せる三鉄

全線復旧から10年が経ち、三鉄は今も地元の足として、学生たちを運んでいる。

2019（令和元）年9月25日、ラグビーの町として知られる釜石市の釜石鵜住居復興スタジアムで、ラグビーワールドカップ日本大会のフィジー対ウルグアイ戦が開催され

た。試合に先立ってスタジアムの上空を飛行したのは、被災した三陸沿岸の復興にも貢献した自衛隊のブルーインパルスだった。

翌月の令和元年東日本台風（台風19号）で甚大な被害を受け、三鉄は再び長期不通を余儀なくされた。しかし、不屈の心で運行再開に向かって動き、5か月後に全線復旧を果たしている。新型コロナウイルス感染症の影響で記念式典は中止となったが、沿道には、大漁旗を振って列車を見送る人もいた。

三陸鉄道の社長として、全線復旧の陣頭指揮を執った望月は、2016（平成28）年に社長を退任した。現在は教育アドバイザーなどを務めながら、悠々自適に過ごしている。

「社長の在任期間のほとんどが災害からの復旧対応だったので、そういった意味では、仕事をやったという感じはしますね。復旧はただ元に戻せばいいのではなく、戻したあと、どうするかということも考えていかないといけません。そういう意味では、『復旧』『復興』の取り組みは、三鉄と地域の繋がりや関係性を見つめ直す機会だったのかなと思います」

三鉄1期生として入社した金野は、入社40年の節目を迎えた。取締役になった今も、現場に立ち続けている。

「必死に復旧に向けて動いていく中で、いろんな方からたくさん応援していただけたのは、本当にすごくありがたいし、自分たちがやっていく力にもなりました。三陸鉄道というのは地域を走る、地域の皆さんと一緒にやっていく会社であることは間違いないのですが、復旧を通して、絆がより強くなったと思います」

北リアス線・島越の復旧を担当した筒井は、今は神奈川県にある沢井川の水路トンネルを掘っている。島越の復旧を通じて、我慢強さに磨きがかかったという。

「その後も復興工事で、三陸沿岸道路を2年半、そのあとに石巻で排水ポンプ場を担当しましたが、そういう復旧・復興工事に携わったことで、東北の復興を感じています。あのときの苦労だとか、そういうのを思い出すと、現場が大変なときでも何とかなると思い、頑張っています」

三鉄には、毎年春に地元の若者が入社する。2020（令和2）年に入社した佐々木翔太もその1人である。三鉄が大好きだった少年は、復旧した列車で地元の高校に通った。現在は運転士として、三陸の若者たちを運んでいる。

「震災で走らなくなって、久しぶりに見たときには、ものすごく元気をもらいました。今までずっと三鉄に乗ってきて、お世話になったので、今度は自分が三陸の人たちの役に立てればと思い入社しました」

大切な場所を、守り続けた人たちがいる。いつもの時間、いつもの場所に、列車は今日も走っていく――。

Ⅳ 世界最長 悲願のつり橋に挑む

――明石海峡大橋 40年の闘い

兵庫県の神戸市（奥）と淡路島を結ぶ、全長3911メートルの明石海峡大橋（写真：共同通信社）

1　夢の始まり

橋を夢見た男

「人生すべからく夢なくしてはかないません！」

全ての始まりは、1957（昭和32）年にある男が言い放ったこの言葉だった。男の名は原口忠次郎（はらぐちちゅうじろう）、時の神戸市長である。

舞台は、戦後の復興が進む神戸の市議会。この年の3月、議会は翌年度の予算をめぐり紛糾（ふんきゅう）していた。原口が、神戸と淡路島を隔てる明石（あかし）海峡につり橋を架（か）けるという構想を突如披露（ひろう）し、建設に向けた調査予算を提出したからだ。それは、当時としてはあまりにも無謀で、誰もが耳を疑うような構想だった。

明石海峡は、古くから激しい潮流で知られる海の難所であり、海中工事は至難の業（わざ）。そのうえ水深も深いため、高度な技術力を要するつり橋でしか架橋できない。そして最大の問題は、約４００メートルにわたる海峡幅である。当時世界で最も長いつり橋は、アメリカ・サンフランシスコに架かるゴールデンゲートブリッジ。その長さは１９６６メートル。技術先進国のアメリカが、その粋を集めて建設した世界一のつり橋よりも、明石海峡は2倍近く長いのである。

当然、市議会議員たちは反発した。不可能なことは誰の目にも明らかだった。「市長は、白昼に夢でも見ているのではないか?」という厳しい声まであがった。しかし、原口は折れない。そのとき原口が議員に言い返したのが、冒頭の「夢なくしてはかないません」という言葉である。原口には、この橋を絶対に架けたい理由があった。

原口は、内務省の土木技術者として荒川の治水などに長年尽力してきた。そして１９３９(昭和14)年、50歳のときに、神戸・中国・四国地方の開発を担う神戸土木出張所の所長に就任した。そのときに原口は初めて四国にわたり、その現状を見て衝撃を受けた。当時、本州と四国を結ぶ橋はなく、交通手段は不安定な船舶のみ。そのため、四国には豊富な資源があるにもかかわらず、近代的な産業が発展せず、平均収入も都市部より大幅に少なかった。その現状を打破するためには、阪神と四国を橋で結ぶしか方法はない。

「四国はどうしても、阪神の経済圏に早くくっつかなければなりません。これが四国の開発の唯一の道です。また阪神としても、交通さえ便利になればいくらでも発展する地域を後方に持つことが、繁栄の基礎となるのです」

橋の必要性を確信した原口は、その思いを胸に60歳にして神戸市長に就任。明石架橋のために、ついに動き出したのだった。そして1957年、物議を醸した調査予算を熱弁により押し通した原口は、架橋の実現に向けた本格的な調査に乗り出す。さらに、莫大な予算のかかる建設工事を国家事業にすべく、時の建設大臣などへの陳情に奔走した。あまりにも橋のことばかり考えているものだから、〝橋口さん〟というあだ名までついた。

だが、まだこのときは明石海峡に橋が架かるなどと本気で信じている者は少なかった。明石海峡大橋は、原口の答弁をもじって〝夢の架け橋〟とも呼ばれた。「夢のように素晴らしい橋」というプラスの意味ではない。「およそ実現不可能な夢幻の橋」であるという、揶揄が存分に込められた呼び名だった。

これは、そんな夢物語に挑んだ者たちの、知られざる不屈のドラマである。

淡路島に閉じ込められた少年

4年後の1961（昭和36）年、神戸の対岸の淡路島を悲劇が襲った。最大瞬間風速84・5メートルの強力な台風、第2室戸台風が直撃したのである。当時、四国側にも神戸側にも橋はなく、島を脱出する術はなかった。

強風が猛烈に吹き付け、街を破壊するさまを、自宅の窓から不安げに見つめる一人の少年がいた。穐山正幸、12歳。兵庫県の土木職員である父の転勤に伴い、淡路島に引っ越してきたばかりだった。

「猛烈な南風を受けてガタガタと揺れる窓が壊れてしまわないように、両手で必死に押さえていました。そのとき親父は家にいなくて、いたのは祖母と母親と、まだ小さな弟・妹だけ。とても心細かったです」

穐山の父・正七郎は、朝から晩まで台風対応の陣頭指揮をとった。しかし、頼みの綱の船舶交通や港は壊滅的な被害を受け、救援物資は届かない。それもあって、復旧作業は困難を極めた。疲れ切った父の顔に、穐山は、橋の無い島の悲しさを思った。

「数年間、ほとんど親父の顔を見ていないというか、起きたときにはもう仕事に行っていて、帰って来るのは僕らが寝たあとというような状態。親父は、その数年で一気に老けましたね。橋さえあれば……というのは、子どもだった僕だけじゃなくて、島の人たちはみんな強く感じていたと思います」

「この橋がかかるまでは、私は死に切れませんよ」

その頃、橋の実現を目指す原口忠次郎は、執念ともいえる粘り強さで、国への働きかけを続けていた。

「日本全体の国土計画から考えて、明石海峡大橋は不可欠なもの。四国をあんな形で置き去りにしておくわけにはいかんでしょ。情熱は消えないどころじゃない。ますます情熱を燃やしていきます。そして私のありとあらゆる力と、政治力と、それから技術とを全部投入していきますわ。この橋がかかるまでは、私は死に切れませんよ」

そしてその執念は、時の建設大臣・河野一郎を動かし、いよいよ国が明石海峡大橋建設のための現地調査に乗り出した。同じ頃、香川県や愛媛県でも瀬戸大橋・しまなみ海道の建設を求める気運が高まり、明石を含む3ルートの間で誘致合戦の様相を呈していたが、河野大臣は「明石海峡大橋を一番先に架ける」と明言。原口率いる神戸市が一歩リードする状況となった。

もう一つ、原口たちが力を入れたのが、海外の長大つり橋の技術を紹介する『調査月報明石架橋資料』の発行だった。

当時、アメリカでは全長2000メートル級の橋が次々に建設されていたが、日本では全長わずか627メートルの若戸大橋（北九州市）が精一杯。日本の架橋技術は、欧米に比べて実に半世紀以上遅れていた。

このままでは、全長4000メートル近い明石海峡大橋を架けることなど夢のまた夢。まずは海外の技術を学ばなければならないということで、海外のつり橋の報告書などを翻訳してまとめたものが、『調査月報』だった。月報は、製鉄会社や橋梁メーカーなど関係各社に毎月配布され、日本の技術者が最新の橋梁技術を学ぶ貴重な資料となっていった。

そして1970（昭和45）年、明石の架橋計画がにわかに動き出した。時の自民党幹事長・田中角栄が、瀬戸大橋・しまなみ海道を含む3ルート全ての建設を宣言。同年、それらの架橋を担う本州四国連絡橋公団（本四公団）も発足し、なんと1973（昭和48）年の3ルート同時着工が決まった。原口は、神戸市長の座を辞して本四公団の顧問に就任。いよいよ始まる橋の建設を心待ちにしていた。

しかし、運命の女神が味方したのはここまでだった。起工式のわずか5日前、政府は突如、明石を含む3ルート全ての着工の無期延期を発表した。同年に発生したオイルショックが原因だった。1976（昭和51）年、原口は明石の着工を見届けることなく、脳梗塞により86歳でこの世を去った。「橋の見える場所に葬ってほしい」。これが、原口の最後の願いだった。

無気力な社員に訪れた転機

同じ頃、神戸に本社を置く神戸製鋼で、一人の無気力な新入社員がくすぶっていた。少年時代に淡路島で台風に被災した、穐山正幸である。

学校の成績が良かった穐山は、その後、兵庫有数の名門高校に進学。だが、趣味にも部活にも熱中できず、所在ない日々を過ごしていた。順当に大学に進み、地元企業の神戸製鋼に入社したが、特に何かやりたいことがあったわけではない。ただ単に、実家から通える範囲にあり、大企業なので土日も休めそうだな、というのが決め手だった。

入社早々、東京に配属され、アルミ素材を扱う部署で働いた。しかしそこにも、穐山が熱中できるものはなかった。仕事は定時で切り上げ、ジャズ喫茶や居酒屋で時間をつぶす日々だった。

「残業するやつはバカだと思っていたし、仕事はお金を得るための手段と割り切っていました。で、そのお金で遊ぶと。好きなことをする。やりたくない仕事をふられると『やりたくないです』なんてワガママ言って、先輩からも『困ったな』と言われていました」

入社3年目、そうした言動がたたり、神戸に送り返された。放り込まれたのは、会社でも異色の〝つり橋〟の部署。鋼鉄製のケーブルを作るだけでなく、工事の方法から考案する部署だった。新しい上司は、12歳年上の三田村武。口数少ない、朴訥とした男だった。そして、社内外でも評判の凄腕技術者だった。

「三田村さんというのは信頼できるリーダーだと、まわりの皆から言われていました。つり橋のことを誰よりも熟知していて、グループにとってはエースであり、特別な技術者というような感じでしたね」

つり橋先進国・アメリカの衝撃

三田村は、１９３７（昭和12）年に愛媛県で生まれた。その後大学で土木を学び、神戸製鋼に入社。以来、製鉄所の建設に携わってきた。そんな中、１９６５（昭和40）年の正月、突然当時の部長に呼び出され、こう言われた。

「これからは長大橋の時代がくる。アメリカでは、製鉄会社がつり橋を架けているんだ。

君には是非、その勉強を始めてほしい」

寝耳に水だった。土木を専門に学んできた三田村にとっても、長大つり橋というのは全く未知の領域だった。

翌年、三田村は勉強のため、つり橋先進国・アメリカに飛んだ。ちょうどその頃、27年ぶりに世界最長を更新する長大つり橋・ベラザノナローズブリッジ（全長2196メートル）が、ニューヨークに架かったばかりだった。だが、三田村が最も衝撃を受けたのは、そのベラザノではなく、その前まで世界一だった金字塔・ゴールデンゲートブリッジだった。この橋の完成は1937年。奇しくも、三田村の生まれ年と同じだったのである。

「これは立派な橋だなあ、と感激しましたね。その一方で、私が生まれた年に、もう既にアメリカではこんな立派な橋を架けているのか、格段の差だなと思わされました。日本がここまで到達するにはあと何年かかるのだろうか。自分たちもコツコツと勉強していかないといけないなと」

アメリカ出張から戻ってまもなく、三田村に仕事が舞い込んだ。奈良県月ヶ瀬の山奥に架かるつり橋、八幡（はちまん）橋のケーブル工事である。全長はわずか160メートル。アメリカの長大つり橋には遠く及ばない小さな橋だが、いつの日かアメリカを追い越すことを夢見て、三田村はその工事に全力で臨（のぞ）んだ。そして、この八幡橋で、三田村たちはある新技術を編み出した。それが、のちに明石海峡大橋の建設に大きく関わることになる。

その後三田村は、日本の長大つり橋の先駆けとなる関門橋（かんもんきょう）（1973年完成・全長1068メートル）でもケーブル工事を成功させ、名の知れた橋梁技術者となっていった。

〝あかんやん〟を封じてみせる

稙山が三田村の元にやってきたのは、そんなときだった。入社後アルミ素材と向き合ってきた稙山にとっても、長大つり橋は全く未知の領域である。どうしたものかと思っていると、三田村から「これを読んでおけ」とある資料を渡された。かつて原口の元でつくられた、『調査月報 明石架橋資料』だった。この巡りあいが、稙山の目の色を変えた。

「小説を読むよりもずっと面白いなと思いました。大抵、物事は分かりやすいように書いてあるじゃないですか。でも『調査月報』は、とても難しくて何が書いてあるかさっぱり分からない。分からないから、面白かった。そういう意味では、私にとっては『なんだこりゃ！』だった。ちゃんと分かるようになりたいな、と思ったんです」

それまで定時で帰っていた稙山が、休み時間を使ってでも読みあさるようになった。数十冊もある『調査月報』を、あっという間に読破した。稚山が、初めて心から夢中になれるものと出会った瞬間だった。

ちょうどその頃、オイルショックで一時凍結されていた本四架橋計画が再び動き始めた。国は、計6個の長大橋から構成される瀬戸大橋と、しまなみ海道の一部である因島大橋、それから淡路島と徳島を結ぶ大鳴門橋の凍結を解除することを決めた。その一方で、技術的に突出して難易度の高い明石海峡大橋は、引き続き凍結されたままだった。

三田村と稚山は、建設が始まった因島大橋の現場に出た。完成すれば関門橋を超え日本一の長さ（全長1339メートル）となる立派なつり橋である。稚山にとっては分からないことだらけの初現場だったが、ここで思わぬ洗礼を受けることになった。三田村の〝あかんやん〟である。

「三田村さんは僕たちに、技術開発や検討などの課題を次々と与えるわけですね。でも、そのやり方については教えてくれなくて、自分たちで考えろというタイプ。必死に考えて課題の答えを持って行くと、『ここはどないするんや』と言われ、まごまごしていると『あかんやん』の一言。それで終わりです。そこでもやっぱりやり方は教えてくれないわけですね。課題をなんとか成し遂げたとしても、別に褒めてはくれません。『あかんやん』

と言われないのがもう褒め言葉みたいなもので、仲間内でも『また三田村さんに〝あかんやん〟言われた、やり直しや……』って言っていましたからね。そういうやり方で随分しごかれたというか、鍛えられたなと」

三田村の指摘はいつも的確で、その勉強量は計り知れない。稙山は、そんな三田村に必死で食らいついた。修業の日々の中で、いつかあの〝あかんやん〟を封じてみせたい、そして三田村の背中に追いつきたいという夢が、稙山の中に芽生えた。

「三田村さんはやっぱり技術第一、それに信頼がついてくるという人ですからね。逃げないし、嘘言わないし。僕にとってはやっぱり目標であり、いつか追いつきたいと願う人でした。実力差がありすぎて、師匠と弟子という関係に近かったと思いますが」

稙山と三田村の出会いから10年の歳月が過ぎた1985（昭和60）年。瀬戸大橋の完成が近づく中、ついに明石海峡大橋の凍結も解除され、3年後の1988（昭和63）年に着工することが決まった。

それに伴い、橋の具体的な形も見えてきた。予定される全長は3910メートル。もし完成すれば、アメリカを引き離して圧倒的に世界一となる。稙山は三田村から、常々「いつかは明石をやるんだ」と言い聞かされてきた。その日が、ついに目前にやってきたのである。三田村は、このときの感慨をこう振り返る。

「これは夢じゃなしに、現実のものになるぞという喜びが湧いてきました。〝夢の架け橋〟じゃなしに、現実のつり橋になってきたと」

三田村と稙山。12歳差の師匠と弟子の、世界最長への挑戦が幕を開けた。

2 未知の領域〝世界最長〟に挑む

「世界最長」を支える国産技術

つり橋は、2本の主塔を支えとして対岸にケーブルを架け渡し、そのケーブルに橋桁（はしげた）をつり下げる構造となっている。世界最長となる明石の橋桁は、総重量9万トン。ケーブルは、その異次元の重みに耐え切らなくてはならない。

そこで、日本を代表する鉄鋼メーカー・新日本製鐵（せいてつ）（現・日本製鉄）と神戸製鋼の2社で、新素材の開発が始まった。その結果生まれたのが、シリコンを加えることで飛躍的に強度を高めた直径5ミリの特製ワイヤー。これ一本で、約4トン（乗用車3台分）をつり下げられる強さである。このワイヤーを実に約3万7000本束ねることで、直径1・1メートルのメインケーブルとなる。それを左右2本架け渡すことで、総重量9万トンの橋桁をつり下げようという計画だった。

ワイヤーの素材は完成した。次なる問題は、ケーブル2本分で約7万4000本に達する大量のワイヤーを、どうやって明石海峡に架け渡すかだった。

アメリカで長大つり橋の歴史が花開いてから約100年、ワイヤーは、数本ずつ滑車で架け渡しては、人力で束ねていく工法が主流だった。このやり方だと、大量のワイヤーを長さを揃えて束ねるために、膨大な手間と人員が必要となる。だが、三田村にはある秘策があった。全く新しいケーブル架設技術を、奈良県月ヶ瀬の八幡橋で編み出していた。それは、長さを揃えた100本ほどのワイヤーを工場であらかじめ束ねておき、その束を次々と対岸に渡していく工法。それにより、作業効率は一気に跳ね上がる。

「やはりね、我々は我々でやろうと。日本の技術を日本で育てていくのは当たり前かなと、こう思いましたね」

三田村は、この国産技術を用いて関門橋や因島大橋のケーブル工事を成功させてきた。だが、明石の4000メートルという長さは前人未踏であり、実績がない。この工法が明石でも問題なく使えるのかどうか、事前に実験で確かめておく必要があった。

実験の失敗

このとき三田村は、佳境を迎える瀬戸大橋の現場工事にかかりきりだった。この重要な実験を任されたのは、稙山だった。

「三田村さんが、『稙山、やっとけよ』と。『はーい』と言って引き受けました。でも、正直そんなに大きな課題だとは認識していなかったので、たいしたことはないだろう、実験でも何も起きないだろうと思っていました」

1985(昭和60)年、製鉄所の片隅で、稙山による実験がおこなわれた。巨大なリールに巻かれた4000メートルの束を、ゆっくり引き出していく。これが最後まで問題なく引き出せれば、実験成功である。

1000メートル、2000メートルと順調に引き出されていった。だが、未知の領域である3000メートルを過ぎたあたりで、異変が起きた。リールにキツく巻き付けたはずの束が、大きくたるみ始めた。そして、たるんだ束同士がシュルシュルと音を立てて擦れ合い、ついにはワイヤーを束ねるテープが摩擦(まさつ)で切れてしまった。せっかく束ねたワイヤーが、バラバラにはじけた。これでは使い物にならない。

「ああ、これはダメだ……と。こんな状態では、とてもじゃないけど現場では採用できない。ここで初めて、『三田村さんが危惧していたのはここなのか』と理解しました」

稲山は、実験の失敗を三田村に報告した。だが、予想に反して〝あかんやん〟は出なかった。その代わり、「稲山、問題点が分かったな」とだけ返ってきた。

「三田村さんは、『稲山のやりたいようにやれよ』と。それで、やってダメだったら自分がフォローするよ、という感じでした。すごく肝っ玉が大きいですよ。いつまでも三田村さんの〝あかんやん〟の世界にいるのではなく、そこからは脱出して、自分で判断しないといけない時がきたんだなと」

稲山は、ワイヤーが大きくたるんだ理由を必死に考えた。リールの設計、巻き付ける強さ、引き出すスピード。全てを一から計算し直した。

明石海峡を隔てて結ばれた両親

1988（昭和63）年、いよいよ明石海峡大橋の建設工事が始まった。海中に基礎を設置し、その上に高さ300メートルの主塔がそびえたっていく。日本中の橋梁技術者が、この瞬間を待ちわびていた。１９５７（昭和32）年にこの橋が構想されてから、実に30年以上の月日が流れていた。

その間、技術者たちはいつか世界一のつり橋を架けることを夢みて、関門橋や瀬戸大橋で黙々と腕を磨いてきた。その中の一人に、一際熱い闘志を燃やす若者がいた。ケーブル工事の現場監督、古田富保。古田には、明石海峡大橋との並々ならぬ因縁があった。

古田は、神戸出身の父と淡路島出身の母という、まさに明石海峡を隔てて結ばれた両親の元に生まれた。両親は、大阪のダンスホールで偶然出会い恋に落ちたが、母・智永には既に淡路島に許嫁がいた。父・勝己は、智永の両親を説得して結婚の許しを得るために、何度も淡路島に通った。

小さな連絡船は激しい潮流で強く揺れ、勝己は船酔いで嘔吐を繰り返した。欠航も頻発し、船に乗るために3時間待つこともあった。それにめげずに島に通い、なんとか智永と結婚することができた。古田は、そんな両親の苦労を小さい頃から聞かされて育った。

「いちばん苦労して行ったのは、うちの親父とお袋なので。それこそ大恋愛を、この明石海峡が隔てたわけですからね。私自身も、小さい頃に毎年母の実家の淡路島に連れて行かれて、船酔いで大変な目にあいました」

そんな古田が明石海峡大橋のことを知ったのは、小学生のときだった。神戸にある父の実家に遊びに行き、海水浴を楽しんでいると、海岸に見慣れない鉄塔が立っていることに気付いた。あの原口忠次郎の構想を受け、明石海峡の風速を調査するために建てられた観測塔だった。

「『あの塔は何？』と祖父に聞いたら、『あれは明石海峡大橋の観測塔だよ。世界一の橋がここに架かるんだぞ』と言われました。そして、原口忠次郎さんって方が〝人生すべからく夢なくしてはかないません〟と、夢を持てば橋も架かるんだと言って尽力したことも教えられました。幼心に、すごいことを考える人がいるもんだなあと感銘を受けました。その祖父も、『早く橋ができれば便利になるのに』としょっちゅう言っていましたね」

両親、そして祖父母が待ち望んでいる〝夢の架け橋〟を、自分の手で架けたい。それが、古田自身の夢になった。

ケーブル工事の開始

古田は大学で橋梁を学び、架橋を専門に請け負う横河工事（現・横河ブリッジ）に入社。徳島と淡路島を結ぶ大鳴門橋を皮切りに、瀬戸大橋の工事にも参加して腕を磨いた。昼夜を問わない現場作業は肉体的にも精神的にも厳しいものだったが、原口の言葉を支えに乗り越えてきた。そして、念願の明石の現場へとやってきた。

「〝夢なくしてはかないません〟という原口先生の言葉は常に胸にありました。苦しいながらも、やっぱり明石を架けるのが夢だから、そのためには何としてもやるぞと。もし明石の現場に行けなかったら会社を辞めようとまで思っていましたから、行かせてもらって本当に嬉しかったです」

1993(平成5)年、2本の主塔が完成し、いよいよつり橋建設の山場・ケーブル工事が始まった。工事を受注したのは、新日鐵と神戸製鋼。その下に、横河をはじめとする実力ある橋梁メーカーや重工業メーカー、そして日本中から集められた鳶(とび)の精鋭部隊が集い、さながらドリームチームの様相を呈した。

だが、技術者たちはいきなり難題に直面していた。ケーブル工事は、架設作業の足がかりとなる1本の細いロープ(パイロットロープ)を対岸に渡すことから始まる。通常であれば、船でロープを引っ張って対岸に運べば済む話である。だが、明石海峡は1日1500隻(せき)もの船舶が往来する日本屈指の国際航路。そこを船で横切ることは許されなかった。そこで本四公団は、世界でも例のない方法に挑むことを決めた。ヘリコプターを使った、前代未聞の空中架設である。この決定に、古田も驚いた。

「ヘリコプターは重力に逆らって飛ぶので、真上に物を持ち上げる力は強いのですが、横からの力には弱いんです。なので、横からロープで引っ張られると、転覆して大変なことになるんじゃないかと。ただでさえ、明石海峡は強い横風が吹く難所です。正直、こんなこと実現できるのかな？と思いました」

パイロットを夢見た男

この難しい任務を託されたのは、東邦航空の浅倉豊紀（あさくらとよのり）。浅倉は、雪山での遭難救助などで活躍するエースパイロットであると同時に、誰よりも一途（いちず）な〝夢追い人〟でもあった。

浅倉が空の世界に憧れたきっかけは、小学生のときに偶然見かけた飛行機だった。敗戦間もない当時、飛行機は滅多に目にすることのできない貴重な乗り物だった。その機能的で優美な見た目にすっかり心奪われた浅倉は、いつかパイロットになって、自分の手で動かしてみたいと強く思った。

それからというもの、浅倉は足繁（あししげ）く空港に通って飛行機に熱い視線を送り、飛行機のプラモデルを買いあさった。そして、視力を保つために夜にテレビを見ることをやめ、代わりに毎晩夜空の星に目をこらした。大学生になり、パイロットに英語力が必要なことを知ると、外国人に人気のホテルでアルバイトを始め、彼らに話しかけることで英会話を学んだ。

だが、その努力はなかなか報われなかった。就活が始まると、浅倉は満を持して航空会社のパイロット試験に臨んだ。「合格の場合は電報を送ります」と言われ、下宿先で電報を待ち続けた。だが、待てども待てども、合格の知らせは届かなかった。

「もしかしたら郵便局で電報が止まっているんじゃないかと思って、不安で郵便局まで行きました。でも、合格の電報は届いていなかった。やっぱりハードルが高かったです。思い描いた夢ばかりが広がっていたので、それがシュッとしぼんでいく感覚でした」

それでも、浅倉は諦(あきら)めなかった。同級生が就職先を決めて卒業していく中、浅倉は、就職留年する道を選んだ。不合格なら、合格するまで受け続ければいいという思いだった。

「もしパイロットになれなかったら、自分の将来はないぞって。やりたいことを諦めるということは、自分にはできなかったです」

そして再び飛行機のパイロット試験に挑んだが、やはり結果は不合格。そんな中、大学の掲示板で見慣れない募集を目にした。当時まだ珍しかった、ヘリコプターパイロットの募集だった。これなら、いけるかもしれない。藁をも掴む思いで試験に臨み、見事合格。ようやく、憧れの空の世界へとやってきた。それからは、ヘリコプターの可能性を自分の手で広げてみせようと、仕事を選ばずあらゆるミッションに挑戦してきた。

そんな浅倉も、40代を迎えパイロットの第一線から退く年齢にさしかかっていた。明石の仕事が舞い込んだのは、そんなときのことだった。浅倉は、二つ返事で引き受けた。

「まだ世界で誰もやったことがないと聞いて、それなら自分が記録を作りたいなって。とにかく、やってみたいなと」

海峡を渡った1本のロープ

1993(平成5)年11月10日、パイロットロープ渡海当日の朝。この日、天気には恵まれたものの、風がやや強い。予報によると、午後からは風がさらに強まるという。「風が弱いうちに終わらせよう」。浅倉は、開始時間を予定より1時間早め、ロープと共に飛び立った。

一方その頃、主塔の頂上では、鳶の精鋭たちが浅倉の到着を待ち構えていた。鳶たちをまとめあげていたのは、親方の高村義春。高村の夢は、明石を完成させて日本一の鳶になることだった。高村たちは、離陸前の浅倉に声をかけた。「上にさえ持ってきてくれれば、あとは俺たちがなんとかする」。浅倉にとって、この上なく心強い言葉だった。

「あの言葉を思い出すと、今でも胸が熱くなります。一流の人特有の、電気がビリビリ走るような気迫があった。初対面なのに、その一言ですごい信頼関係が生まれて安心できました。それだけの実績と経験、そして自信があることが伝わってきたんです」

強風の中、浅倉が淡路島側の主塔に到着した。ロープが投下され、それを高村が必死にたぐり寄せる。鳶たちが総出で素早く固定し、浅倉にゴーサインを返す。時間にして、わずか2分。神業の早さだった。そして浅倉が、2000メートル先のもう一方の主塔へと旅立った。ヘリコプターは、横向きに引っ張られる危険な体勢に入った。

「操縦かんに全部伝わってくるんですよ、ガタガタガタって。後ろ髪引かれたみたいな状態で飛んでいますから」

浅倉は、ロープの垂れ下がり具合を気にしながらゆっくりと前に進んでいく。もしロープがピンと張りつめてしまえば、ヘリは身動きがとれなくなる。かといって、ロープが垂れ下がりすぎれば、今後は行き交う船にひっかかり、大事故に繋(つな)がる恐れがある。

横河工事の古田は、その様子を睨(にら)みながら一心不乱にパソコンのキーボードを叩いていた。事故を未然に防ごうと、ロープの垂れ具合を可視化できる計算ソフトを古田自らプログラミングし、現場に持ち込んでいた。

「無線で入ってくる情報を入力して、実際の垂れ下がり具合がどのくらいになっているか、それが適切であるかを逐一計算し続けていました。それでも、風の影響は読めなかったので安心はできませんでした」

古田の不安通り、明石海峡の上空には複雑な風が吹き抜けていた。主塔と主塔のちょうど中間地点に達したとき、浅倉のヘリを一際強い風が襲った。だが浅倉は、前だけを見て突き進んだ。フライトの中止は頭をよぎらなかった。主塔の上で待つ鳶たちを、信じていたからだった。

「主塔にだんだん近づいてくると、鳶さんたちの顔が見えるんですよ。そして、『こっち、こっち！』って手で合図している。それを見て、とにかくそこまで持って行くぞ！という気持ちになりました」

そして10分後、全員が固唾(かたず)を呑(の)んで見守る中、浅倉がもう一方の主塔に到着した。再び固定を終え、ロープカット。難攻不落の明石海峡に、ついに1本のロープが架け渡された瞬間だった。浅倉の目に、うっすらと涙が浮かんでいた。

「思わずね、皆と握手しましたよ。やっぱりちょっと目がウルウルしましたね。たくさんの人が協力して、意思疎通して前に進んだ結果ですから。自分自身の人生にとっても、本当に良い経験をさせてもらいました」

パイロットロープの渡海が成功し、いよいよケーブルの架設工事が目前に迫った。勝負の時を迎える神戸製鋼の穐山。かつての失敗を乗り越え、意外な秘策を編み出していた。

実験ふたたび

時は、実験失敗の直後に遡る。なぜ、リールにキツく巻いたワイヤーの束がたるんでしまったのか。穐山が突き止めた原因は、ワイヤーの〝自重〟と〝回転数〟だった。

4000メートルという途方もない長さのワイヤーをリールに巻くと、何層にもわたってグルグルと重ね巻きすることになる。すると、リールの上部のワイヤーは自重で潰れ、逆に下部のワイヤーは自重で垂れ下がる。その歪(ゆが)みが小さなたるみを生み、リールの回転と共にどんどん後ろに送られることで、結果的に大きなたるみとなってしまう。

ならば、リールを一気に大きくすれば、巻き数が減り、同時に回転数も減るため、たるみの発生を抑えられるのではないか？

「もう非常にシンプルで単純なアイデアです。僕、単純なことが好きなんですよ。それに、変に小手先を変えるよりも、いちばん簡単で誰でも思いつくようなアイデアの方が、工学的にはベストなんじゃないかと考えたんです」

そうして試作したのが、胴径を1・7倍、幅を1・5倍にまで大きくした超巨大リール。これが、工場から現場に運搬することができるギリギリのサイズだった。

残された問題は、実験場所の確保だった。本番を見据えた今度の実験では、製鉄所の片隅ではなく、本番に近い環境で結果を確かめたかった。だが、河川敷や線路、空港などを検討したが、4000メートルもの直線はなかなか存在しない。場所が見つからないまま、1年近くが過ぎていた。

突破口を開いたのは、瀬戸大橋の現場から戻ったばかりの三田村だった。開発著（いちじる）しい神戸港の見学のため、船で沖合に出た三田村。偶然、妙に細長い防波堤を発見した。見学を終えると、その足で書店に飛び込み、海図を買って防波堤の長さを測った。

「これが、ちょうど約4000メートルあったんですね。まさかこんなところが見つかるなんて、びっくりしたですねえ。嬉しかったですよ。『よし、これで穐山の実験ができるなあ』と」

そして、明石の着工前年の1987（昭和62）年、神戸・六甲アイランド沖の第七防波堤で、4000メートルの引き出し実験がおこなわれた。試作品の巨大なリールから、ワイヤーの束が順調に引き出されていく。そして、たるみを発生させることなく、見事に最後まで出し切った。実験は、今度こそ成功だった。

ケーブル架設の成功

1994（平成6）年、作業足場などの準備が整い、満を持してケーブルの架設作業が始まった。

穐山肝いりの超巨大リールが、次々と現場に運び込まれた。現場監督・古田たちの指示のもと、リールが所定の位置に設置され、記念すべき最初の1本の束が引き出されていく。そして、実験通りスムーズに、4000メートル先の対岸へと辿り着いた。穐山は、その様子を満足げに見つめていた。

「ワイヤーの束がぐーんと出ていって、それを見たときは『いいね！』と思いましたよね。このスピードで出ていけば全く問題ないなと。自分の考えで物事を進めていってもいいんだなというのがわかって、自信がつきました。それに、自力で課題を見つけて解決できたという意味では、少しは三田村さんに追いつけたのかなとも思いましたね」

一方三田村も、実験の失敗以来、ひたむきに原因と格闘する穐山を見ていた。〃あかんやん〃の裏には、穐山の成長を思う気持ちがあった。

「おお、穐山やってくれるなあと。リールを大きくして回転数減らすというのはね、当たり前かもしれんけど、誰も言いださなかったんです。そういう意味では、コロンブスの卵というふうに言ってもいいのかもしれませんね。優秀な人間に対しては、やり方は言わんでも、『こういう実験をやるから頼むな』ということだけでいいんですよ。上司・部下だからといって、微に入り細にわたって命令するようなことはしていないはずです。それが、穐山みたいな人材への対応の仕方だと思っていましたから」

その後、ワイヤーの束を対岸に渡す作業が計580回繰り返され、わずか5か月という異例の早さで全てのワイヤーを渡しきった。作業にあたった古田も、こう胸を張る。

「ケーブルは総重量約5万トンですから、1か月につき1万トンを架けた計算。これは非常に凄いことです。普通は1000トンの橋を架けるのにも1か月以上かかりますから。明石は、世界最大にして最速のケーブル架設になったと思います」

1994年11月、ケーブル架設の終了を記念して宴会が開かれた。全員に升酒（ますざけ）が配られ、工事の成功を皆で祝い合った。誰もが、満面の笑みを浮かべていた。ケーブルが架かれば、次は最後の大仕事・橋桁の架設である。夢の架け橋の完成が、ついに見えてきた。しかし、そのわずか2か月後。とんでもない事態が橋を襲った。

1995（平成7）年1月17日、朝5時46分。最大震度7、関西一帯に壊滅的な被害をもたらした、阪神・淡路大震災の発生である。その震源は、明石海峡の真下だった。

3 阪神・淡路大震災

常識を超える大地震

そのとき古田は、明石海峡大橋からほど近い神戸市舞子（まいこ）の自宅にいた。その日の工事に備えて睡眠をとっていたところ、とてつもない激震で叩き起こされた。

「ドーン！という音とともに、自分が寝ているベッドがガタガタと動き出すぐらいの大きな揺れがきて、『地震だ！』と叫びました。子ども部屋に飛び込んで無事を確かめたあと、橋の状況が気になってすぐに窓のシャッターをあけました。うちの窓からは明石海峡大橋がよく見えるんです。すると、あたりはまだ真っ暗でしたが、主塔の上で赤く光る航空障害灯のランプが見えた。それを見て、『良かった、塔は倒れてないぞ』と。塔が倒れてしまったらやり直しはきかないので、とりあえずは胸をなで下ろしました」

古田は原付バイクに飛び乗り、すぐに建設現場へと向かった。余震が続く中、数人の仲間とともに決死の覚悟で作業足場にのぼると、ケーブルを丸く成形する巨大なマシンが見るも無惨に倒壊していた。橋が一体どれだけのダメージを負ったのか、もはや誰にも分からなかった。

明石海峡大橋の建設工事は、地震の被害状況が明らかになるまで一時中断となった。古田は、クレーンなどの機材とともに神戸の市街地に向かい、復旧工事に加勢した。そこには、信じがたい光景が広がっていた。最新の耐震設計が施された高速道路や橋が、制震装置ごと倒壊していた。

「ショッキングでした。まさかこんなことは起きないだろうと思っていたことが、実際に起きていた。僕らの常識を超える範囲の、すごい状況になっていました」

地盤ごと基礎が動く

同じ頃、明石の被害状況の調査にあたっていた本四公団に衝撃が走った。測量の結果、地震の影響で海峡の幅が1メートルも広がり、それに合わせて、橋の全長も391〝1〟メートルに伸びてしまっていた。時の本四公団・技術課長の大江慎一（おおえしんいち）は、耳を疑った。

「揺れで基礎がずれたのではなく、〝地盤ごと〟基礎が動いたんです。こんなことが起こりうるのか？という衝撃でしたね。とてもじゃないが、信じられなかった」

建設計画を揺るがす大問題。工事続行は絶望的かに思われた。しかし、GPSを使ってさらに詳細な調査を進めると、意外な事実が明らかになった。最も心配された300メートルの主塔は、わずかに40センチ傾いただけで、なんとか安全な範囲におさまっていた。地震の直前に架け終わっていたケーブルが、主塔を両脇から支えてくれていたのである。

もしケーブルを架け終わる前に地震が発生していれば、華奢（きゃしゃ）な主塔は、最悪の場合倒壊していたかもしれない。反対に、もし橋桁の工事が始まった後に地震が発生していれば、完成前の不安定な橋桁は大きく揺れ、主塔にぶつかり大きなダメージを与えていたかもしれない。まさに、不幸中の幸いと言える奇跡的なタイミングだった。大江は、天を仰いだ。

「たまたま、地震にいちばん強い構造のときに地震が来た。非常に運が良かったんです。

神の思し召しだとすら思いました。ホッとしましたね、『ああ、無事だったんだ！』と」
大江もまた、小学生のときにテレビで見た〝夢の架け橋〟計画に心を奪われ、この世界に飛び込んだ者の一人だった。天佑だと思った。この工事は止めてはならないと思った。そして１か月後、調査を終えた本四公団は、建設工事の再開を決定した。

　工事再開の知らせを受け、散り散りになっていた技術者たちや鳶たちが、明石の現場に戻ってきた。残すは最後の総力戦・橋桁の架設作業である。古田たちは、毎週20メートルという未曽有の早さで、ぐんぐんと橋桁をのばしていった。地震で１メートル伸びてしまった分は、橋桁の一部を急遽設計変更することで対応した。

　そして１９９６（平成８）年９月、ついに最後のピースがはめ込まれ、神戸と淡路島は「地続き」となった。全長３９１１メートル、総重量９万トンという世界最長の橋桁を、穐山たちのケーブルはがっしりと支えていた。工期10年、携わった人数は２１０万人。技術者たちがプライドをかけて臨んだ20世紀最後の巨大工事は、１件の死亡事故もなく、こうして見事に成し遂げられた。

4 〝夢の架け橋〟から現実のつり橋へ

母を連れて橋を渡る

1998（平成10）年4月、明石海峡大橋が開通を迎えた。かつては〝夢の架け橋〟と揶揄された巨大な橋は、とうとう現実のつり橋となった。

開通の3週間後、古田富保は車で明石海峡大橋を渡っていた。隣には、淡路島出身の母・智永を乗せていた。この日、淡路島で、智永が通っていた小学校の同窓会が開かれたのである。その場で、古田は一躍ヒーローになった。

「母の同級生のみんなも、口々に『橋が架かって良かったですわ』と言ってくれて。母も、『この息子が架けたんだぞ』って言ってくれて。それもすごく嬉しかったです」

橋の完成後、古田にはある日課ができた。それは、自分に夢を与えてくれた大恩人・原口忠次郎の墓参り。原口は、遺言通り、明石海峡大橋を見下ろす高台の墓所に眠っている。古田は、そのお墓を見つめながら、原口への感謝を心に浮かべる。
「原口忠次郎さんがこうして夢を見てくださったおかげで、それが実現して、家族のために橋を架けるという私の夢も叶いましたので。私の人生が非常に豊かなものになったのは、原口さんのおかげと感謝しています」

夢追い人の転身

明石海峡大橋の主塔の頂上には、ケーブル工事に関わった技術者たちの名が刻まれた銘板が置かれている。約300人の技術者に交じって、あの男の名前もあった。ヘリコプターパイロットの浅倉豊紀。

浅倉は、明石での渡海作業を成功させたあと、パイロットの第一線を退き、妻の地元・佐賀に移住した。そしてここで、全く新しい夢を追い始めた。40代半ばにして、なんと豚骨(とんこつ)ラーメン店を開業したのである。

「ヘリコプターの仕事に一区切りついたので、何か別のことをやってみたいなと思ったんです。チームワークを生かして地域に貢献して、誰かに喜んでもらうという意味では、へリコプターも飲食店も同じですよ」

そう言われてみると、パイロットロープとラーメンの麺に共通点を感じなくもない。浅倉は、家族に支えられながら猪突猛進（ちょとつもうしん）でラーメンを作り続け、今や佐賀で人気の名店となった。その傍（かたわ）ら、大型ドローンの操縦免許も取得し、再び空の世界にも進出している。夢追い人・浅倉の挑戦は終わらない。

つり橋との出会い、上司との出会い

つり橋に人生を捧げた技術者・三田村武は、30年にわたる自身の経験を論文にまとめ、学位を取得した。テーマは、あの、ワイヤーを束にして架設する工法である。

「まあ、人生に区切りをつけたということですね。石の上にも3年やなしに、30年も経ちましたから。私の一生を振り返ると、昭和40年に突然部長に呼び出されて以降、ほとんどが橋の建設に関わってきました。ですから、橋にかける人生と言ってもいいんじゃないかなあと思っております。だから、墓に戒名ちゅうのがあるじゃないですか。その戒名には、橋という字を1字入れてもらおうかなと、こう思ってるんです」

明石海峡大橋の全長は3911メートル。かつて衝撃を受けたアメリカのどの橋よりも、あのゴールデンゲートブリッジよりも長い、世界一のつり橋となった。その悲願の橋の完成を見届け、三田村は神戸製鋼を退職した。後輩たちから寄せられたメッセージ。そこに、穐山正幸はこんな言葉を寄せた。

「みたさん」は、技術者として、人として、私の目標です。追いかけても追いかけても、いつもその先にあり、今も追いつづけています。そして、部下であり、弟子であることを誇りに思い、幸せに思っています。ありがとうございました。そして、これからもよろしくお願いします。　穐山正幸

かつて所在ない日々を過ごしていた穐山は、つり橋との出会い、そして三田村との出会いを経て、熱中するものと出会い、一流の橋梁技術者に成長していた。実に半世紀に及ぶ三田村との日々を、穐山はこう振り返る。

「明石に携わることによって、自分自身も成長してきたなと思います。最初は〝夢の架け橋〟だったのが、たくさんの技術者たちが誇りをかけて取り組んで、時代と時代をバトンタッチしていくことで、なんとか実現させていった。20世紀の最後の最後にこういうプロ

ジェクトができたというのは、この時代を生きた僕たちにとっては活力であり、やっぱり勢いを与えてくれました。あとは個人的に言うと、三田村さんという師匠というか、今はもうなんだか一番上の兄貴と一番末っ子みたいな関係かもしれませんけども、三田村さんのところで働けたっていうのは幸せだなと思いますし、今思い出すとやっぱり楽しかったし、いい仕事したなと。いや、させてもらったなと思います」

2022（令和4）年、とうとう明石海峡大橋を超える長さのつり橋が誕生した。トルコの「1915チャナッカレ橋」。それにより、明石は世界で2番目に長いつり橋となった。だが、この「1915チャナッカレ橋」のケーブルも、三田村と穐山が心血を注いだ、ワイヤーを束で渡す工法を使って架けられている。

橋を使い続けるための技術

明石海峡大橋は今、年間1400万台もの車が往来する一大動脈となっている。四国の豊かな恵みはすぐに阪神地方に運ばれ、原口の見立て通り、一際大きな経済効果をあげている。

そして、橋は架ければそれで終わりではない。この先100年、200年にわたって使い続けるために、現在も技術者たちは維持管理をおこなっている。最後に、明石の保全のために用いられている画期的な技術をひとつ紹介したい。

つり橋の最大の敵は、ずばり〝錆び〟。鋼鉄製の構造物が、潮風吹きすさぶ海にそびえているのだから当然のことである。特に、ケーブルは架け直しがきかないので、ひとたび錆びてしまうと橋の寿命に直結する。

そこで明石では、ケーブルの中、つまり直径5ミリのワイヤーとワイヤーの間のわずかな隙間に、乾燥空気を流すという世界初の技術が試された。それにより、ケーブル内の錆びはほぼ完璧に防がれている。明石での成功を受けて、今や世界中の長大つり橋に導入されている、誇るべき国産技術である。

開発の中心人物は、本四公団（現・本州四国連絡高速道路）の古家和彦。誰もがケーブルの中に空気を通すなど不可能だと考える中、計算と実験を繰り返し、それが可能であることを突き止めた。

古家がこの世界に入ったきっかけは、中学生のときに読んだ少年漫画の一節、「地球に爪痕を残す仕事は土木だ」という言葉だった。いつかそんな仕事に携わることを夢見て、つり橋の勉強を始めた。橋を遠い未来まで残そうという防錆の研究は、そんな古家にまさにうってつけのものだったのである。ここでも、自分の夢を突き詰める姿勢が、橋の歴史を変える真摯(しんし)な仕事に繋がっていた。

明石海峡大橋のたもとには、架橋を提言した原口の功績を称(たた)え、「夢レンズ」という名のモニュメントが設置されている。そこには、あの原口の言葉、〝人生すべからく夢なくしてはかないません〟の文字が刻まれている。

どんなに無謀に思える夢物語でも、諦めずに挑戦し続ければ、いつの日かきっと現実のものとなる。そんなロマン溢(あふ)れる事実を、この巨大な橋は、見上げる私たちに語りかけているように思えてならない。

特別エッセイ

「プロジェクトX」が教えてくれたこと

俳優
田口トモロヲ

©MIOW HIROTA

新シリーズへの期待と不安

「新プロジェクトX　挑戦者たち」の制作発表に際して番組サイドからコメントを求められたとき、僕は自分の気持ちをこう表現しました――。

「プロジェクトX」の再開⁉　とにかく驚いています！

かつての「プロジェクトX」に登場した人々の中には、家族にすら、自分の成し遂げた仕事を話さなかった人が多くいました。誰かに話すのではなく、名誉や栄光のためでもなく、自分だけの魂の誇り。そんな誇り高き無名の人々を、再び紹介出来ると思うと背筋の伸びる思いです。

はたして新しい世代の方々にどう伝わるのか？

不安と期待を抱いて挑みたいと思います。

「戦後復興」と「高度成長」の時代の挑戦を描いた旧シリーズから18年を経て、「新プロジェクトX」はバブル崩壊後の〝失われた時代〟に焦点を当てます。どんな人間ドラマが掘り起こされるのか？　手元にナレーション原稿が届くのを僕も楽しみにしています。

一方で、平成・令和にアップデートしたドラマが、旧シリーズのように見る人の胸を打つことができるのか？　その答えは、これからの放送の中にあるはずです。

ドキュメンタリストとしての誇り

旧シリーズを振り返ると、一つひとつの物語にそれぞれ重みがありました。

真っ先に思い浮かぶのは「窓際族が世界規格を作った～VHS・執念の逆転劇」（2000年4月4日放送）。家庭用ビデオの世界規格をつくったのはエリート集団ではなく、リストラ寸前の苦しい立場にあった日陰の社員たちでした。

開発プロジェクトの責任者となり、一人のリストラも行わずに挑戦を成し遂げた髙野鎮（たかのしず）

雄さんがお亡くなりになったとき、棺を乗せた車を社員全員が見送りました。その映像をスタジオで見たときは、めちゃくちゃ泣きました。〝ミスターVHS〟と呼ばれた髙野さんは、もしも失敗したら、社員たちにはせめてものお詫びのしるしとして松の盆栽を一人ひとりに手渡そうと、自宅で270鉢の盆栽を育てていた。そんな〝ささやかな必死さ〟にも、強く胸を打たれたことを覚えています。

また、それまでNHKの番組では企業名や商品名を出すことに慎重でしたが、名前を出さなきゃ挑戦の素晴らしさは伝わらないだろうということで「日本ビクター」「VHS」の名前を出しました。これを機に「プロジェクトX」では、企業名や商品名を伏せずに伝えることになったと聞きます。画期的な決断だったと思うと同時に、僕は番組スタッフたちのドキュメンタリストとしての誇りを感じました。

挑戦者たちに共通するもの

「ガンを探し出せ~完全国産・胃カメラ開発」(2000年4月18日放送)も印象深い回です。国産の胃カメラ開発に成功した東大病院の医師・宇治達郎さんは、将来の出世が約束されていたであろうにもかかわらず、大学病院を辞めて父の医院を継ぎ、町医者として地域医療に生涯を捧げました。そして、自分が胃カメラを開発したことを、家族にも患者さんにも語らなかった。これはもう男の美学です、カッコ良すぎです。そんな〝偉大なる謙虚さ〟に感動して、これも号泣でした。

「大地の子　日本へ～中国残留孤児・35年目の再会劇」（2001年4月3日放送）では、中国残留日本人孤児の問題に切り込みました。これは「プロジェクトX」の一つの使命だったと思います。想像を絶する戦争の悲惨さと、女性や子どもといった弱者がもっとも大きな犠牲を強いられる現実。それを浮き彫りにした番組スタッフの矜持に、心からの敬意を覚えます。

「大地の子」は、翌週に続編が放送されたことも異例でした。中国に出向いた長野県の住職・山本慈昭さんご自身にも、実は離ればなれになった娘がいた。僕はモニターがくすんで見えなくなるほど涙を搾り取られました。もう、これは〝涙のカツアゲ〟だと言いたくなるくらいの回でした。

番組に登場した挑戦者たちの中には多くを語らない人もいました。しかし、すべての登場人物に共通すると僕が感じたのは顔でした。いい顔です。何か特徴があるというのではなく、〝普通にいい顔〟です。普通だけど、いい顔……。自分にできることを精一杯やってきた充実感や達成感を知る者が持つ表情です。

番組を通じて〝普通にいい顔〟に出会うことで、僕自身も自分にできることをやり切って、歳月を経ても充足感に満ちた顔でありたい、と思うようになりました。「プロジェクトX」は、人が生きていく上で大切なことを僕にたくさん教えてくれた番組なのです。

〝トモロヲ節〟の原点

今では多くの視聴者にご評価いただいていますが、僕のナレーションも最初は手探り状態でした。

「プロジェクトX」は、僕にとって初めて本格的にナレーションを担当したレギュラー番組なのですが、僕の声はタッチが強いほうではないのでマイクに乗りにくいらしく、当初は「もう少し強く発声できませんか?」と言われたこともありました。でも、番組の音声さんがマイクを何本も用意して、僕の声と相性のいいマイクを探してくれた。これは本当にありがたかったです。

そもそも「読む」ことに関して、僕は決して上手くはない。いまでもそう思います。上手くない部分は、練習で補うしかありませんから、事前に原稿を読ませてくださいとお願いして、何十回と練習しました。練習しすぎて口が疲れ、それでも練習して、しまいには口がつるという状態も初めて経験しました。

しっかりと練習した翌日、仮ナレーション録りでNHKへ行きます。すると、練習してきたナレーションの原稿が大幅に変わっていたりする。局の別部屋を借りて、変更部分を練習させてもらって、ようやく仮ナレーションの収録です。ところが、収録後も原稿にはどんどん手直しが入る。その間、局の食堂で待っていてくださいと言われて、6時間待ったこともあった（笑）。

さすがに集中力が持たないから、仮ナレを録った後は一度帰宅させてもらえるようになりましたが、本番の収録が始まってもプロデューサーやディレクターたちは侃々諤々やっていて、原稿が確定するまで録音ブースで1、2時間待つこともありました。番組をつくる現場でも、ギリギリまで試行錯誤が繰り返されていたのです。

番組が始まった当初のナレーションをあらためて聴いてみると、読む速度が違うのが自分でもわかります。原稿に書かれている情報量は、それだけたくさんありました。けれども番組スタッフは、情報をもれなく伝えるために早口で読むことを要求せず、僕の読む速度を生かして言葉を間引くという作業をしてくれました。

その過程で、写真や映像だけで十分伝わることがある、ナレーションは最低限でいいという考え方が生まれました。それは「見る人を信じる」という選択だったと思います。視聴者のイマジネーションや、感受性の余白を大事にしたことで、「プロジェクトX」に独特の表現手法ができあがっていった。僕はそう考えています。

〝無限の人間力〟は不変

僕自身、「プロジェクトX」のナレーションは物語を正確に伝えることを第一に考えています。近すぎず、遠すぎず、必要な距離感を持って、あまり前のめりにならず、寄り添えるような温度——そんなイメージで読むことを心掛けてきました。

「新プロジェクトX」でも、そこは変わりません。しかし、旧シリーズから18歳も年を取って僕も60代です。40代の頃に比べたら、体力と持続力の衰(おとろ)えは意識しないわけにはいきません。50歳を過ぎて花粉症になったこともあり、声質の変化も心配していました。ところが……。

あれは「約束の春～三陸鉄道 復旧への苦闘」(2024年4月20日放送)のナレーション収録のときです。旧シリーズでマイクを何本も試してくれた音声さんと、たまたまトイレで一緒になりました。そのときに、「田口さんの声、変わらないですねえ」と言ってもらったのです。一緒に番組をつくってきて、僕の声を誰よりも知っている、いわば〝戦友〟の一言でしたから、心の底からホッとしましたね。

他にも、新シリーズのナレーション収録に際して、少しだけ気がかりなことがありました。僕はもう60代半ばで、番組に登場する挑戦者の多くは年下です。ですから、旧シリーズと違ってジェネレーションギャップみたいなものを感じるかなと思っていました。ところが、まったくなかった。そこは本当に意外でした。

印象的だったのは、「東京スカイツリー 天空の大工事～世界一の電波塔に挑む」(2024年4月6日放送)で、職人さんたちが花見をするシーンです。仕事に行き詰まったり、仲間たちの間でわだかまりを感じたりしたとき、酒を飲むというのは昭和の伝統かと思っていたら、今も相変わらず飲んでいる。そして、そこから突破口が開き、困難を乗り越えていく。近頃は飲み会が減っていると聞きますが、今も挑戦する現場で行われていると知ったときは、昭和生まれとしてなんだか嬉しかったですね。

職人さんが、ノートに細かい文字をびっしりと埋める場面も印象的でした。僕は思わず「えっ、パソコンじゃないんだ？　手書きなんだ！」と、グッときた。人が見ていないところでコツコツ何かを積み重ねるといった努力は、時代が変わってもなくなっていなかった。自分が与えられた使命に情熱を傾け、淡々とやり続けた仕事が、いつしか世に認められる偉業になる。いつの時代も技術者や職人たちには不変の志があり、〝無限の人間力〟が根底にあるのだと感じました。

そして、変わっていないと感じたことがもう一つ。それはスタジオにいらっしゃるゲストの方々の顔です。相変わらず、みんな〝いい顔〟をしている。

僕も俳優をやっていますから、表情には人一倍敏感なつもりですが、スタジオで見る〝普通にいい顔〟は、俳優には出すことはできません。虚構の世界では再現できない顔です。新シリーズでも、そんな無名だけれども〝普通にいい顔〟の人たちとたくさん出会えることを、僕も楽しみにしています。

出会った使命に全力を尽くす

では、「新プロジェクトX」は18年前と何も変わっていないのか？　そんなことはありません。明らかに違うところを、僕は何度か見ています。それは制作現場の雰囲気です。

旧シリーズの制作現場は、スタッフのみんなが目の下に隈(くま)を浮かべ、ヘトヘトに疲れ果てていることもありました。「この人たち、健康面は大丈夫なのだろうか？」と、本気で心配したものです。スタジオ全体に異様な緊張感が満ちていて、収録中のスタッフは、どの顔も真剣そのもの。笑い声が聞こえたことなど、僕の記憶ではあまりありませんでした。

新シリーズは違います。スタッフの顔は、真剣さの中に笑みも浮かんでいます。18年前には目にすることがなかった光景です。

時代が変わって、働き方も変わったことで、制作現場の雰囲気も変わったのだと思います。でも、それだけではない気もしています。おそらく、旧シリーズで疲労困憊（こんぱい）しながら試行錯誤を重ねた厳しい時期を乗り越え、番組づくりのノウハウが後進たちに伝承できるまでに磨かれ、整えられていたからこそ、今の時代に笑顔で復活させることができたのだと僕は思っています。

働き方が変わったという点で言えば、「新プロジェクトX」では仮ナレーション録りがなくなりました。ですから、スタジオに入ったらいきなり本番のナレーション収録になりますが、その代わり原稿を2日前にいただく約束になっています。旧シリーズでは前日に原稿をいただいていましたから、新シリーズでは練習時間が2倍に増えたことになる。その分、内容を深く把握することもできるし、体調に気をつけながら年齢にあったやり方で練習ができます。

大切なのは、出会った使命に全力を尽くすこと——それを僕に教えてくれたのが「プロジェクトX」という番組です。新シリーズでも自分が出来る力を毎回出し切って、ナレーション原稿に込められた思いを懸命に読み、素晴らしい人間ドキュメントドラマをみなさんにお伝えできることを願っています。

番組制作スタッフ（取材協力・資料提供）

東京スカイツリー 天空の大工事
――世界一の電波塔に挑む
（2024年4月6日放送）

取材協力　東武鉄道　東武タワースカイツリー
資料提供　クドウフォト　小泉瑛一
技術　川崎智弘
撮影　阿部崇人　高橋秀典
音声　鈴木彰浩　鍵山瑞希
音響効果　古川千鶴
美術　伴内絵里子
映像デザイン　阿部浩太
映像技術　北村和也
編集　高橋寛二
ディレクター　高橋憲吾　平山菜々子
本文執筆協力　伴田薫

弱小タッグが世界を変えた
――カメラ付き携帯 反骨の逆転劇
（2024年4月13日放送）

取材協力　住友電気工業　野村総合研究所
資料提供　ロイター／アフロ　Shutterstock
技術　川崎智弘
撮影　加倉井和希
音声　鈴木彰浩　多村千穂
音響効果　古川千鶴

映像デザイン　伴内絵里子
映像技術　佐藤優衣
編集　外舘綾
ディレクター　東森勇二
本文執筆協力　丸山こずえ

約束の春
――三陸鉄道 復旧への苦闘
（2024年4月20日放送）

取材協力　三陸鉄道　鉄道・運輸機構　熊谷組
東急建設　西松建設
資料提供　読売新聞社　冨手淳
東北地方整備局震災伝承館
技術　川崎智弘
撮影　山﨑優輝
音声　鷹馬正裕　森徹雄

音響効果　平田悠介
映像デザイン　阿部浩太
映像技術　佐藤優衣
編集　堀善介
ディレクター　久保田暁
本文執筆協力　常井宏平

世界最長 悲願のつり橋に挑む
――明石海峡大橋 40年の闘い
（2024年5月11日放送）

取材協力　本州四国連絡高速道路
本四高速道路ブリッジエンジ
日本製鉄　日鉄エンジニアリング
神戸製鋼所　横河ブリッジ
IHIインフラシステム　東邦航空
黒崎建設　神戸市役所

資料提供　月ヶ瀬観光協会　月ヶ瀬梅渓保勝会
feel dining cafe & sea　一楽堂
加島聰　保田雅彦　奥田基
古家和彦　武野優　樽井敏三
隠岐保博　田口吉彦　西尾則義
夏井透公　小澤敏雄
神戸市文書館　神戸市立中央図書館
神戸フィルムオフィス
土木学会附属土木図書館　Getty

技術　川崎智弘

撮影　竹内秀一

音声　藤原孝智　阿久津光累

音響効果　嘉藤淳

映像デザイン　伴内絵里子

映像技術　渡辺周一

編集　坂本太

ディレクター　大里和也

本文執筆　大里和也

語り　田口トモロヲ

プロデューサー　仁科友里
丸山拓也

制作統括　久保健一
本間一成

編集協力　猪熊良子
ＤＴＰ　山田孝之

NHK「新プロジェクトX」制作班
さまざまなプロジェクトに関わった人々の
知られざるドラマを届けるドキュメンタリーが18年の時を経て復活。
新シリーズでは、「失われた時代」とも言われる
平成・令和の挑戦者たちを主にクローズアップする。
2024年4月放送開始。

NHK出版新書 723

新プロジェクトX 挑戦者たち 1
東京スカイツリー
カメラ付き携帯
三陸鉄道復旧
明石海峡大橋

2024年7月10日　第1刷発行

著者　NHK「新プロジェクトX」制作班 ©2024 NHK
発行者　江口貴之
発行所　NHK出版
〒150-0042 東京都渋谷区宇田川町10-3
電話 (0570) 009-321(問い合わせ) (0570) 000-321(注文)
https://www.nhk-book.co.jp (ホームページ)
ブックデザイン　albireo
印刷　壮光舎印刷・近代美術
製本　二葉製本

Printed in Japan ISBN978-4-14-088723-3 C0295

NHK出版新書好評既刊

ゼロからの『資本論』
斎藤幸平
あの難解な『資本論』が誰にでも分かるようになる！ 話題の俊英がマルクスとともに〝資本主義後〟の世界を展望する、究極の『資本論』入門書。
690

ウィーン・フィルの哲学
至高の楽団はなぜ経営母体を持たないのか
渋谷ゆう子
奏者は全員個人事業主！ ハプスブルク家の治世から、彼らはいかに後ろ盾なしで伝統を守ってきたのか。歴史を辿り、楽団員への取材から明かす。
691

徹底討論！
問われる宗教と〝カルト〟
島薗進　釈徹宗
若松英輔　櫻井義秀
川島堅二　小原克博
人を救うはずの宗教。〝カルト〟との境界はどこにあるのか。第一線にいる研究者・宗教者6人が、宗教リテラシーを身に付ける道筋を照らす。
692

モチベーション脳
「やる気」が起きるメカニズム
大黒達也
意識的な思考・行動を変えるには、無意識の「脳のやる気」を高めることが重要だ。脳が「飽きない」ための仕組みを気鋭の脳神経科学者が解説。
693

早期教育に惑わされない！
子どものサバイバル英語勉強術
関正生
早期英語教育の誤解を正し、お金と時間をかけずに子どもの英語力を伸ばすコツを伝授。700万人を教えたカリスマ講師による待望の指南書！
694

道をひらく言葉
昭和・平成を生き抜いた22人
NHK「あの人に会いたい」制作班
先達が残した珠玉の言葉が、明日への活力、生きるヒントとなる。不安の時代を生きる私たちの背中をそっと押してくれる名言、至言と出合う。
695

NHK出版新書好評既刊

「人の期待」に縛られないレッスン
はじめての認知行動療法
中島美鈴
頼まれた仕事を断れない、人に会うと気疲れする、頑張っても評価されない――。他人の評価や愛情に左右されないシンプルな思考法とは。
714

アナーキー経営学
街中に潜むビジネス感覚
高橋勅徳
会議室の外で生まれる「野生のビジネス」を経営理論で読み解いてみたら、思わぬ合理的戦略が見えてきた！ 経営学の可能性を拓く、異色の入門書。
715

「植物の香り」のサイエンス
なぜ心と体が整うのか
塩田清二
竹ノ谷文子
ストレスや不安の軽減から集中力、記憶力など脳機能の向上、治りづらい疾患の緩和・予防まで。最新研究をもとに、第一人者がわかりやすく解説。
716

戦国武将を推理する
今村翔吾
三英傑（信長、秀吉、家康）から、『じんかん』の松永久秀や『八本目の槍』の石田三成まで、直木賞作家が徹底プロファイリング。彼らは何を賭けたのか。
717

哲学史入門Ⅰ
古代ギリシアからルネサンスまで
斎藤哲也［編］
第一人者が西洋哲学史の大きな見取り図・重要論点をわかりやすく、そして面白く示す！ シリーズ第一巻は、古代ギリシアからルネサンスまで。
718

哲学史入門Ⅱ
デカルトからカント、ヘーゲルまで
斎藤哲也［編］
第二巻は、デカルトからドイツ観念論までの近代哲学を扱う。「人間の知性」と向き合ってきた知の巨人たちの思索の核心と軌跡に迫る！
719